SECRETARIADO

BLANCA AGUIRRE
JOSEFA GÓMEZ DE ENTERRÍA

SECRETARIADO

Sociedad General Española de Librería, S.A.

Primera edición: 1991
Segunda edición: 1995

EL ESPAÑOL
por profesiones

Produce: SGEL-Educación

Marqués de Valdeiglesias, 5 - 1.º 28004 MADRID

Directora de la colección: Blanca Aguirre

Agradecemos los textos cedidos por la Institución Ferial de Madrid para su reproducción en las páginas 111,113 y 120, y Expolingua, página 118.

© Blanca Aguirre - Josefa Gómez, 1992

© Sociedad General Española de Librería, S. A., 1992
   Avda. Valdelaparra, 29 - 28100 ALCOBENDAS (MADRID)

ISBN: 84-7143-463-6
Depósito Legal: M. 10.703-1995
Printed in Spain - Impreso en España

Cubierta: Erika Hernández
Ilustraciones: L. Carrascón
Maqueta: C. Campos

Compone: Amoretti.
Imprime: Cronocolor, S. A.
Encuaderna: F. Méndez, S. L.

Presentación

Con el título **SECRETARIADO** se inicia la colección **El Español por Profesiones,** dirigida a todas aquellas personas que tienen conocimientos básicos de la lengua española y desean continuar su aprendizaje para utilizarla en un contexto profesional.

Esta obra pretende cubrir las necesidades de comunicación, tanto oral como escrita, en el campo del secretariado comercial o administrativo. Para ello, el material está organizado en nueve unidades subdivididas, cada una de ellas, en tres secciones.

En cada sección, el lector encontrará los apartados:

- **Presentación:** Con documentos auténticos o diálogos que introducen la situación profesional, el tema y el léxico pertinente.

- **Para leer y comprender.**
- **Para hablar.**
- **Para practicar.**
- **Para terminar.**

Incorporan las cuatro destrezas básicas, así como ejercicios y actividades comunicativas que permiten la familiarización con los documentos y procedimientos de la profesión.

Con el fin de facilitar el aprendizaje se ha introducido también una **Sección de Consulta** en la que, en los apartados de Diccionario, Funciones, Gramática y Memoria, figuran las definiciones y explicaciones de los términos, los exponentes de las funciones, los aspectos gramaticales y las nociones desarrolladas en cada una de las unidades didácticas del libro.

Para aquellos que prefieren un sistema de autoaprendizaje, se incluye una Clave de Soluciones de los ejercicios propuestos. Y, junto a ella, los apéndices de Abreviaturas y Glosario multilingüe.

Confiamos en que, no sólo este título, sino toda la colección, sea de utilidad para profesionales, profesores y estudiantes.

LAS AUTORAS

5

Contenidos

Unidad	Temas y Situaciones	Actividades
1	**Comunicaciones por escrito** A. Correspondencia comercial B. Tipos de cartas C. Otras comunicaciones comerciales	• Comprender y redactar con corrección diversos tipos de escritos comerciales. • Extraer y resumir información. • Uso del diccionario. • Prácticas de dictáfono y de traducción. Términos profesionales.
2	**Buscando trabajo** A. Ofertas de trabajo B. Solicitud de empleo C. Entrevista de candidatos	• Comprender y expresar las condiciones laborales. • Procedimientos y obligaciones. • Entrevista de trabajo. • Prácticas de redacción. • Extraer detalles de información.
3	**En la empresa** A. Organización de la empresa B. Relaciones con los jefes y compañeros C. Instalaciones: equipamiento y material de oficina	• Familiarización con la organización empresarial y las tareas profesionales. • Familiarización con los diferentes documentos. • Adquisición de la adecuada terminología del tema.
4	**En funciones** A. Concertar citas de trabajo B. Confirmar citas y reuniones de trabajo C. Anular y posponer reuniones	• Transmisión de mensajes. • Fórmulas por teléfono. • Gestión del tiempo y del trabajo. • Prácticas de dictado y redacción. • Correspondencia social: cartas de pésame. • Utilización del fax.
5	**Por teléfono** A. Solicitar y dar información detallada B. Para hacer reservas C. Comprobaciones, cambios y anulaciones	• Uso del teléfono. • Técnicas de discriminación y verificación de información. • Solicitar y proporcionar información detallada. • Organización y control de las actividades profesionales. • Prácticas de grabación y redacción. • Adquisición de la adecuada terminología del tema.

Contenidos

Unidad	Temas y Situaciones	Actividades
6	**Atención a clientes** A. Indicaciones e instrucciones B. Recepción y atención de visitas C. Atender quejas y reclamaciones. Pedir disculpas	• Relaciones sociales. • Prácticas de diccionario y traducción. • Relacionar y ordenar la exposición oral y escrita. • Comunicación gestual.
7	**Relaciones con proveedores, compañías y empresas de servicios** A. Condiciones de compra B. Pedidos de material de oficina C. Compañías y empresas de servicios	• Pedir y calcular presupuestos. • Relación con proveedores. • Medios de pago. • Prácticas de redacción y traducción. • Adquisición de la adecuada terminología del tema.
8	**Congresos, ferias y exposiciones** A. Información sobre la organización B. Condiciones de participación y reserva de espacio C. Transporte y facturación	• Organización y resumen de la información. • Interpretación de la información no textual. • Comprender y cumplimentar documentos. • Familiarización con documentos y terminología comercial. • Cálculo en moneda extranjera.
9	**Actos e informes de la empresa** A. Preparación de las reuniones B. Reuniones C. Informes y gráficos	• Familiarización con los procedimientos de las reuniones de empresa. • Adquisición de la terminología apropiada para reuniones, financiera y legal. • Correspondencia social: cartas de felicitación. • Diversas formas de representación gráfica.

Sección de Consulta

Clave de la solución de los ejercicios

Apéndice de abreviaturas

Glosario multilingüe

Comunicaciones por escrito

A   CORRESPONDENCIA COMERCIAL

La carta es la comunicación comercial más empleada, tanto por el espacio del que se dispone para la comunicación como por su bajo coste. En cuanto a su redacción, tiene que reunir las características de claridad, precisión, agilidad, persuasión y prudencia. La presentación de la carta es de gran importancia, ya que representa a quien la envía y debe producir una impresión grata al que la recibe. La estructura de la carta comercial responde siempre a una forma preestablecida que contribuye a darle una mayor claridad. Su esquema es el siguiente: encabezamiento 1, cuerpo de la carta 2 y cierre o complementos 3.

1.   Para leer y comprender

Escoja de entre las tres soluciones propuestas la que corresponda:

1. Las cartas comerciales son aquellas que se emplean para establecer la comunicación con:
    a) familiares que viven en otro continente
    b) el mundo de los negocios y de la empresa
    c) los proveedores y clientes

AUDITORES & ASOCIADOS, S. A.
Grupo de Consultoría
Princesa, 121, 3º. Tel. 568 81 11. Fax 562 34 12
28008 MADRID

MEMBRETE

FELSA
Rambla de Cataluña, 42
37003 GERONA

DIRECCIÓN INTERIOR

Madrid, 26 de abril de 1992

ASUNTO: Formación

ASUNTO

s/ref.   s/escrito   n/ref. DO/C 4-92   n/escrito

REFERENCIA

(A la atención del Jefe de Personal)

LÍNEA ATENCIÓN

Muy señor nuestro:

SALUDO

Tenemos el gusto de dirigirnos a usted para ofrecerle nuestro nuevo programa «La Dirección por Objetivos», ya que, como usted sabe, es una de las claves más importantes del éxito empresarial.

Este programa es fruto de los trabajos presentados a lo largo de un Seminario organizado por Consultores Europeos, junto con la colaboración de la compañía norteamericana de consultoría **MACHILL INTERNATIONAL**.

Como podrá comprobar, hemos concebido la dirección por objetivos, la organización y la evolución del rendimiento, como un sistema de gestión que integra la planificación de logros y la evolución mediante un modelo que puede adaptarse a las peculiaridades de su organización. Para ello hemos tenido en cuenta, en primer lugar, los valores propios de cada empresa y el estilo de liderazgo que desarrolla, de tal manera que, en una segunda etapa, se aplican las herramientas correspondientes a orientación profesional, clarificación de las funciones, planificación, logros y reconocimiento.

Nuestro objetivo básico consiste en aplicar el programa a todas las secciones de la empresa, incorporando tanto a los directivos como a los empleados, de tal manera que el proceso pueda llevarse a cabo teniendo en cuenta incluso a los departamentos de menor cualificación dentro de cada organización, implicando a todos los miembros de la empresa con los planteamientos de estrategia de la misma.

Queremos informarle de que, además de este nuevo programa, también disponemos de una amplia gama de servicios para ofrecer a nuestros clientes, servicios de los que le enviamos adjunto la lista de precios en vigor hasta el 30 de diciembre.

Esperando que nuestra oferta sea de su agrado, le saludamos muy atentamente.

FIRMA

DESPEDIDA

NOMBRE RESPONSABLE Fdo.: Valeriano Blasco

VB/pb

INICIALES DE IDENTIFICACIÓN

CARGO Y TÍTULO Director Comercial

Anexo: Lista de precios y servicios.

ANEXOS ADJUNTOS

P.D. Nuestro horario de información es de 10,00 a 14,00 y de 17,00 a 20,00.

1

2

3

2. En cuanto a su presentación, deben producir una impresión:

   a) grata   *b)* agresiva   *c)* distante

3. En la comunicación comercial hay que evitar:

   a) la ambigüedad   *b)* la claridad   *c)* la prudencia

4. El texto ha de ser redactado de tal manera que:

   a) su lectura resulte confusa y difícil
   b) sea objetivo y se entienda con claridad
   c) aborde el asunto con rodeos y circunloquios

5. El esquema de la carta comercial tiene:

   a) una forma preestablecida
   b) diferencias dependiendo del tipo de carta
   c) diversas estructuras

b) *Subraye todas las preposiciones que aparecen en el texto de la carta y repase la utilización de cada una de ellas.*

Tome notas para preparar, en español o en el idioma que prefiera, un resumen del contenido de la carta.

d) *Busque en un diccionario el significado y diga qué función cumplen en una carta las diferentes partes de ella que se relacionan a continuación:*

— el logotipo o logo   — la despedida   — P.D/P.S.
— el membrete   — a la atención de   — p/o, p/a
— la fecha   — la firma   — c.c.
— el encabezamiento   — los anexos   — c.c.c.
— el saludo   — las iniciales

2. Para hablar

En su oficina se ha recibido la carta en la que le ofrecen programa «La Dirección por Objetivos».

a) *Por parejas: comente con su compañero sobre quién lo ofrece, a quién va dirigido, de qué se trata, en qué se basa, para qué sirve o qué objetivos pretende, por qué lo ofrecen y en qué medida les va a afectar a ustedes.*

b) *En grupos: preparen un debate sobre las ventajas e inconvenientes que puede presentar este programa.*

c) **Un miembro de cada grupo hace un resumen oral de la carta y de las conclusiones del debate sobre el programa.**

3. *Para practicar*

a) **Complete las frases siguientes con las preposiciones que faltan:**

1. En nuestro Centro de Inversiones contamos .... los mejores equipos profesionales.
2. .... la presente queremos comunicarle.
3. Hemos dedicado la máxima prioridad .... la investigación.
4. Le envío una copia .... nuestro escrito .... que nos la devuelva firmada.
5. Aportamos soluciones atractivas .... todas las necesidades.
6. Les ofrezco mis servicios .... cubrir el puesto .... secretaria.
7. Para entablar una relación .... nosotros, puede usted llamarnos .... ningún compromiso .... su parte.
8. ¿Tiene usted alguna carta .... mí?

b) **Conteste por escrito, utilizando:** *para, a fin de, con el fin de, para que, ya que, debido a:*

1. ¿Para qué estudia usted español?
2. ¿Por qué hay que aprender mecanografía y taquigrafía?
3. ¿Qué finalidad tiene el encabezamiento de una carta?
4. ¿A qué se debe el paro juvenil?
5. ¿Por qué es importante tener una buena formación profesional?
6. ¿Por qué tienen que cambiar las empresas su estrategia?

c) **Escriba las fechas que se dan a continuación, tal y como deben aparecer en el encabezamiento de las cartas:**

Ejemplo: *3-2-91;*   *3 de febrero de 1991*

— 7-4-91   — 5- 3-92
— 15-8-89   — 19-12-95
— 22-1-90   — 2-10-93

d) **Complete el cierre de la carta que va a continuación, rellenando los espacios en blanco:**

En espera de ....
....
....
....

e) **Señale entre las frases siguientes las que correspondan al** *saludo* **o a la** *despedida de la carta:*

1. A la espera de sus gratas noticias, le saluda atentamente.
2. Con el deseo de haberles complacido...
3. Muy señores nuestros:
4. Le damos las gracias por su deferencia...
5. Esperando que nuestra oferta sea de su agrado, le saludamos cordialmente.
6. Estimado cliente:

f) **Escriba la carta de contestación a la oferta del programa de «La Dirección por Objetivos», solicitando una información más amplia y condiciones.**

4. *Y para terminar*

a) **Desarrolle estas abreviaturas:**

— S. A.	— Srta.	— Tel.	— izq./izqª
— S. L.	— n.º	— Fdo.	— s/ref.
— Cía.	— Dr	— Sres.	— n/ref.
— Sr. D.	— C./	— núm.	— n/escrito
— Sra. D.ª	— Avda.	— dcha./der.	— s/escrito

b) **Ponga la puntuación, la acentuación y las mayúsculas de esta carta, por favor:**

madrid 12 de octubre de 1991

estimados señores

en respuesta a su solicitud de autorizacion para reproducir en su libro el articulo los quesos de españa publicado en el n.º 57 de nuestra revista y como ya les comunicabamos por telefono lamentablemente solo podemos concederles permiso para reproducir el texto citando su procedencia puesto que no disponemos de los derechos de las fotos

reciban un cordial saludo

fdo federico paternina
director

Las cartas comerciales se pueden clasificar en diferentes tipos, según el asunto del que traten. Los más utilizados son los siguientes:

— de solicitud (para pedir cualquier tipo de información).
— de acuse de recibo (para anunciar que se han recibido las mercancías, géneros o efectos o valores).
— de pedido (orden o pedido de géneros o mercancías).
— de presentación.
— de reclamación.
— de quejas.
— de relaciones con la banca.
— de relaciones con las compañías de seguros.
— de relaciones con los servicios públicos.
— carta-circular (dirigida a un gran número de destinatarios diferentes, con una información común).
— cartas sociales (para felicitar, agradecer, invitar, dar el pésame, etc.).

1

EJEMPLOS DE TIPOS DE CARTA

ALMACENES CÁDIZ, S.A.
Apartado 3.887
BARCELONA

12 de mayo de 1991

Señores:

Me dirijo a ustedes en relación con el anuncio publicado en el diario LA VANGUARDIA del día 8 de mayo, en el que solicitaban una secretaria.

Les ofrezco mis servicios para cubrir dicho puesto, ya que considero que reúno las condiciones exigidas. Tengo en la actualidad 25 años y una experiencia de tres años ininterrumpidos como secretaria en la empresa CEMA, S. A., de Tarrasa, donde pueden dirigirse ustedes para recabar información sobre mi actividad profesional.

Quedo a la espera de sus noticias y les saludo atentamente.

María Valenzuela

RMA Consultores

Marqués del Turia, 175-35082 Valencia-TEL. (96) 4 56 66 21-TÉLEX 77345
FAX (96) 465 77 32

Sra. Dña. María Valenzuela
C/ Almagro, 154   20 de mayo de 1991
28003 Madrid

Asunto: Su candidatura para el puesto de secretaria

Estimada Sra. Valenzuela:

Acusamos recibo de su atenta carta en la que se interesa por el puesto de trabajo arriba indicado.

Le agradecemos su confianza al colaborar con nosotros y le manifestamos que su candidatura será minuciosamente estudiada.

En el caso de que su Currículum Vitae se adecue a las características del puesto, y por tanto sea preseleccionado entre las candidaturas recibidas, nos pondremos nuevamente en contacto con usted.

Agradeciendo una vez más su amabilidad, le saludamos muy atentamente.

Antonio Guzmán
Recepción de candidaturas

COMUNICACIÓN EUROPEA ASOCIADA

Ayala, 214-28001 Madrid
Tel. 243 22 89-Fax 254 72 91

Estimado Sr./Sra.:   Madrid, 7 de noviembre de 1991

Como representante en España de COMUNICACIÓN EUROPEA ASOCIADA, tengo el gusto de ponerme en contacto con usted para presentarle nuestra organización.

Nuestra empresa está especializada en el campo de la comunicación, y trata de llevar a cabo en este momento un estudio sociológico en nuestro país, con el fin de elaborar un informe sobre los hábitos y actitudes de los españoles respecto a los medios de comunicación audiovisuales.

Para ello hemos confeccionado el cuestionario adjunto que constituye la base de dicho informe. Sólo tiene que contestar el cuestionario y enviarlo gratuitamente a la dirección indicada en el membrete.

No necesitamos sus datos personales, únicamente queremos saber su opinión sobre las preguntas formuladas. Por supuesto que los datos que nos proporcionan nuestros encuestados permanecerán en un plano absolutamente confidencial.

Agradeciendo de antemano su colaboración, le envío un cordial saludo.

Arturo Almansa
Gerente del área de Relaciones Públicas

(4)

BANCO DE LA INDUSTRIA Y EL COMERCIO
— Banca Comercial —
Subdirectora General

Sr. D. Gonzalo Planelles
C/ Valderaduey, 45
36004 CASTELLÓN

Castellón, 16 de septiembre de 1991

Estimado Sr. Planelles:

Me dirijo a usted para ofrecerle una excelente oportunidad que le permitirá rentabilizar al máximo su dinero, y que brindamos únicamente a un seleccionado grupo de clientes entre los cuales se encuentra usted.

La CUENTA INTEGRAL del BANCO DE LA INDUSTRIA Y EL COMERCIO es una cuenta corriente a la vista cuya característica principal es su gran rentabilidad, ya que ofrece una remuneración creciente, que puede llegar hasta un 15 %, en función del saldo medio alcanzado, abonando los intereses desde la primera peseta ingresada, y con abonos trimestrales.

El titular de esta cuenta también disfrutará de otras ventajas, tales como: tarjeta de crédito con cuota gratuita durante el primer año; crédito personal inmediato; asesoramiento e información de nuevos productos y servicios, siempre en condiciones preferentes.

Disponemos de un cualificado equipo profesional que está a su entera disposición para atenderle en cualquier consulta, dedicándole la atención que usted se merece.

A la espera de su visita, le saluda atentamente.

Laura Fernández del Río

(5)

DIPUTACIÓN PROVINCIAL DE MURCIA
SECRETARÍA GENERAL TÉCNICA
(Servicio de Publicaciones)

Calvo y Fernández Hnos. S.A.
Juan Ramón Jiménez, 43
45076 GUADALAJARA

7 de noviembre de 1991

Señores:

Nos dirigimos a ustedes para indicarles la conveniencia de realizar la renovación de la suscripción anual al BOLETÍN OFICIAL DE LA DIPUTACIÓN DE MURCIA para el año 1992, dentro del plazo previsto por nuestra normativa.

Es nuestra intención evitar que se acumulen las solicitudes de renovación fuera de plazo, lo cual provoca retrasos no deseados en los envíos.

Las renovaciones las pueden efectuar dentro de los quince primeros días del año en curso. El importe de la suscripción es de veinte mil pesetas (20.000), que puede ser abonado mediante talón nominativo conformado, o bien por giro postal a nombre de BOLETÍN OFICIAL DE LA DIPUTACIÓN DE MURCIA, y no por otro procedimiento.

Esperando que nos presten la colaboración deseada.

El Jefe de Servicio
Luis de la Puente

**EJEMPLOS
DE TIPOS
DE CARTA**

INSTITUTO NACIONAL DE SEGURIDAD SOCIAL

Madrid, febrero 1991

La Seguridad Social le informa:

Nos ponemos en contacto con usted para informarle acerca de las nuevas Prestaciones Familiares de la Seguridad Social.

La Ley 26/1990, de 20 de diciembre, que establece las Prestaciones no Contributivas, introduce una serie de medidas que, contando con la colaboración de todos en un esfuerzo solidario, vienen a modificar la protección familiar con un criterio más acorde a las inquietudes sociales, distribuyendo mejor los recursos económicos y proporcionando protección social a los más débiles económicamente.

Le adjuntamos un folleto informativo donde encontrará detallada explicación de las nuevas Prestaciones Familiares.

Si desea mayor información, no dude en ponerse en contacto con las oficinas del Instituto Nacional de la Seguridad Social, donde estamos esperando para atenderle mejor.

Atentamente

Seguridad Social

---

1. Para leer y comprender

a) Escoja la solución que corresponda de entre las tres propuestas:

1. Las cartas de relaciones con la banca se emplean para:
   a) solicitar información
   b) acusar recibo de efectos o valores
   c) ponerse en contacto con las entidades bancarias

2. La circular es una carta que:
   a) no tiene destinatario
   b) va dirigida a muchos destinatarios diferentes
   c) no tiene texto

3. Para solicitar órdenes de pedido de géneros o de mercancías se emplean las cartas:
   a) de reclamación　　　b) de pedido　　　c) de presentación

4. Las cartas de reclamación deben presentarse en un tono:
   a) airado   *b)* enérgico, pero cortés   *c)* distante

5. Al redactar las cartas de relaciones con la banca, hay que prestar atención a:
   a) las cantidades, plazos y condiciones expresados
   b) la discreción y la prudencia
   c) llegar a un arreglo amistoso con el destinatario

b) **Tome nota de los distintos tipos de encabezamiento, saludo y despedida, para después ofrecer el equivalente en su propio idioma.**

c) **Clasifique las cartas anteriores y diga de qué tipo son según el asunto de que tratan, razonando en cada caso la respuesta.**

2. *Para hablar*

a) **Por parejas: formulen las preguntas y respondan utilizando el comparativo, como en el ejemplo que sigue:**

Ejemplo: *P: ¿La carta comercial se emplea más que el télex para comunicarse?*
R: Sí, la carta comercial es la más empleada.
R: No, el télex no se emplea tanto como la carta.

1. ¿Tiene la presentación, en los escritos comerciales, tanta importancia como el contenido?

2. ¿Es tan elevado el coste económico del telegrama como el de la carta?

3. ¿Es tan largo el cuerpo central de la carta como el saludo?

4. ¿Es más conciso el texto del telegrama que el de la carta?

5. ¿Es más rápida la comunicación postal que la telefónica?

b) **Por parejas: preparen la conversación telefónica, pidiendo información sobre la oferta de la carta número 4.**

c) **Por parejas: Santiago Fernández, director de la empresa CECASA (Paseo de los Olivos, 27. 54001 Huelva) dicta una carta a su secretaria. El contenido de dicha carta tiene por finalidad recomendar a su antigua empleada, María Luisa Martínez, para el puesto de recepcionista que ella ha solicitado en la empresa Archivos e Inventarios, S. A. (Plaza de la Constitución, 20. 53021 Cádiz). Redacten y dicten la carta de recomendación, para hacer prácticas de dictáfono.**

3. *Para practicar*

a) *Complete las frases siguientes con la forma adecuada del verbo que está entre paréntesis:*

1. Nos .... (comunicar) el proveedor que si no hacemos efectivo el pago .... (retirar) la mercancía.

2. Estos ejemplares .... (estar) deteriorados y hay que .... (retirar) los de la circulación.

3. El Seminario de Nuevas Tecnologías .... (estar) programado para este mes, y no .... (poder) retrasarlo hasta septiembre.

4. ¿No .... (tener) tú algún modelo de carta de acuse de recibo?

5. Lo siento, pero .... (tener) que quedarme a terminar estas cartas.

6. La secretaria del Director General .... (ganar) más dinero que yo, pero también .... (tener) más trabajo.

b) *Complete las frases que siguen con las preposiciones que faltan:*

1. Una de las primeras firmas .... distribución, ... fase .... expansión, precisa cubrir puestos .... Jefe de Personal .... sus centros comerciales .... Madrid y Zaragoza.

2. Amplias posibilidades .... promoción .... nuestra organización.

3. Pensamos .... personas jóvenes .... años .... experiencia .... un puesto similar.

4. Dedicaremos especial atención .... la formación .... personal, ... lo que contamos .... amplias expectativas .... promoción.

5. Valencia, 29 .... mayo .... 1992.

6. Esa empresa está .... el número 25 .... la calle .... Serrano.

c) *Escriba una frase con cada uno de los adjetivos que van a continuación, utilizando términos de comparación:*

— deteriorado   — bueno — conveniente — frágil   — lento
— sorprendente — eficaz — malo   — comprensivo   — conciso

d) *Busque en un diccionario sinónimos o ideas afines para:*

— destinatario   — experto   — sutil   — farragoso
— asunto   — organización   — pesado — pulido
— persona responsable en una empresa   ameno

Seguidamente escriba en qué contextos utilizaría estos términos.

e) **Redacte una circular con el siguiente asunto:**

Un banco internacional de reciente implantación en España se dirige a sus posibles clientes para ofrecerles ventajosas ofertas, tanto en cuentas corrientes a la vista como cuentas a plazo fijo o cartillas de ahorro.

4. *Y para terminar*

a) **Escriba correctamente, en un sobre, estos datos:**
— Nombre y dirección del destinatario
— Nombre y dirección del remitente
  Título y cargo
  Plaza/Avenida/Calle/Glorieta
  Número y piso
  Código Postal-Ciudad/Pueblo
  Provincia/Autonomía/Departamento
  País

b) **¿Podría recordar todas las partes de una carta?**

Diseñe un modelo de carta, colocando cada uno de sus elementos en el lugar correcto.

c) **Practicas de dictado**

1. Lea y dicte a su compañero las distintas explicaciones que se dan del dictáfono. A continuación, escriba su propia explicación.
   a) Aparato fonográfico que lleva un disco de materia plástica, o un hilo metálico, donde se graba un dictado para transcribirlo después.
   b) Es un elemento muy útil en la oficina. Se utiliza para grabar cartas en cintas magnéticas que serán transcritas por la secretaria. Presenta la ventaja de que no es necesario que la secretaria tome el dictado en taquigrafía, y por otra parte, el jefe puede dictar en el momento que sea más oportuno.
   c) Este equipo está disponible en unidades portátiles, que permiten dictar en cualquier momento y en cualquier lugar, y unidades de mesa para grabar en el despacho.

2. Por parejas: su jefe no está acostumbrado a utilizar el dictáfono. Sugiérale lo que tiene que hacer:
   — Diga el número de copias antes de comenzar a dictar.
   — Deletree los nombres poco comunes.
   — Prepare el material y ordénelo antes de empezar a dictar.
   — Pronuncie claramente, en tono natural de voz y a velocidad normal.
   — Verifique el control del dictáfono al comenzar y al terminar, para que no se pierda ninguna frase del dictado.
   — El micrófono debe estar a pocos centímetros de la boca y la voz ha de dirigirse hacia éste.

La actividad mercantil y económica da lugar a otros tipos de escritos además de la carta comercial. Éstos son muy variados y adoptan diferentes formas que van desde el saluda hasta el telegrama, formando un amplio abanico. Algunos se emplean para comunicarse dentro de la propia empresa, como el memorándum; otros presentan un lenguaje comprimido y breve, debido a razones de economía y urgencia en la transmisión, como el télex y el telegrama, este último se escribe en un impreso que proporciona la oficina de Correos. El saluda se utiliza para cursar notificaciones de cortesía o de protocolo. En general, son escritos que no suelen ser muy extensos.

**SALUDA,
TÉLEX,
TELEFAX,
MEMORÁNDUM,
TELEGRAMA**

(1)

**EJEMPLO DE
SALUDA**

El Delegado para Madrid
de la
Cía. de Seguros Ibéricos, S.A.

Saluda

a D. Felipe Márquez Ruipérez, adjuntándole la nueva póliza y rogándole que se sirva devolver firmado el ejemplar correspondiente a la Compañía.

Madrid, 7 de julio de 1991

Serrano, 178   Tel. 567 34 11

(2)

**EJEMPLO DE
MEMORÁNDUM**

CEMTESA

7 de septiembre de 1991

DE: Micaela Plans
A: Antonio San Valero
Nos comunican nuestros clientes Sres. Oliver y Cía. que los nuevos precios son muy elevados en relación con los que le ha ofrecido la competencia. Revise, por favor, las cotizaciones para ver si se pueden mejorar.

José Ruiz
Dpto. de Ventas

3

```
15,03
45323 SAGRA E
42386 SELAS E
ZARAGOZA 27-6-91
                            TL.X.NÚM. 6.345
CON RELACIÓN A LAS NOTAS DE CARGO NÚMERO 15 3/91 Y 15
4/91, CORRESPONDIENTES A LOS RODILLOS DE IMPRESIÓN EN
HUECOGRABADO, QUEREMOS HACER LA SIGUIENTE ACLARACIÓN:
EL SEXTO RODILLO CORRESPONDE AL DEL BARNIZ ANTISOLDANTE
Y HA SIDO INCLUIDO EN LOS CARGOS DE REFERENCIA.

UN CORDIAL SALUDO.
SR. ESCORIAL
```

1. Para leer y comprender

a) **Responda. Verdadero o Falso, según corresponda:**

	V	F
1. El memorándum es un mensaje breve, de uso interno dentro de la propia empresa...		
2. El lenguaje empleado en las comunicaciones breves tiene que ser claro, sencillo y conciso.................................		
3. El saluda sirve para reclamar los pagos pendientes		
4. Las comunicaciones de carácter breve se escriben siempre en tercera persona..		
5. El télex, el telefax y el telegrama son comunicaciones de carácter urgente.		
6. El memorándum nunca va firmado.................................		

b) **Explique el significado de las palabras siguientes:**

— abanico
— cortesía
— adjuntar
— protocolo
— urgencia en la transmisión
— impreso

c) **¿Para qué se utilizan los siguientes escritos?**

— el saluda
— el télex
— el telefax
— el memorándum
— el telegrama

2. Para hablar

El señor Busquets, director comercial de la empresa *Asesoramiento de Inversiones y Valores, S. A,* quiere dar a conocer su empresa.

a) **Por parejas: comenten cuál es el tipo de escrito más idóneo para dar a conocer esta empresa.**

b) **Las características de la empresa son las siguientes:** se trata de una sociedad anónima cuyo objetivo es invertir dinero en efectivo, así como valores o activos monetarios. Dirigida a clientes particulares, empresas o instituciones, cuenta con profesionales sólidamente formados y con experiencia en los sectores bursátil, bancario, financiero y empresarial. La filosofía empresarial está basada en una absoluta independencia y transparencia, y en el trato amable e individualizado.

Por parejas: comenten hacia qué segmento de la población deberían dirigirse, y por lo tanto, seleccionar el tipo de lista de direcciones que precisan.

c) **Por parejas:** preparen la conversación telefónica con la sección de publicidad de un diario, porque han decidido publicar un anuncio en la prensa y quieren saber las tarifas de precios. Previamente, deberán saber el número de palabras, tipo de texto y espacio que necesitan.

3. Para practicar

a) **Escriba la forma del plural y el artículo correspondiente:**

— saluda	— línea de atención
— télex	— logotipo
— telefax	— anexo
— carta	— señor
— telegrama	— posdata

b) **Separe las sílabas que forman cada una de las palabras:**

— presidente	— memorándum
— significación	— industrial
— conferenciante	— inauguración
— agradecimiento	— generalmente

c) **Redacte un télex solicitando información detallada sobre el desarrollo, fechas, duración, alojamiento, etc., a la comisión organizadora del Salón del Automóvil de Barcelona.**

d) **Redacte un saluda con los siguientes datos:**

Remitente: Presidente de la Cámara de Comercio e Industria Alicantina.
Destinatario: Federico Muñoz.
Asunto: Cursar invitación para la inauguración de un nuevo Centro Comercial, situado en el polígono industrial «Los Naranjos».

e) **Redacte un telegrama dirigido a la organización de la Convención de Fabricantes de Electrodomésticos de línea blanca, comunicando la imposibilidad de asistir por parte del Sr. Menéndez debido a un asunto familiar grave.**

4. Y para terminar

a) **Escriba las abreviaturas correspondientes a:**

— sin número
— vencimiento
— calle
— descuento
— sociedad anónima

— remitente
— peso neto
— señor
— cuenta corriente
— teléfono

b) **Repase mentalmente, y después con su compañero, a quién daría el tratamiento de tú y a quién de usted (o vosotros/ustedes).**

Además, piensen en estas otras fórmulas y las correspondientes personalidades:
1. Majestad, S.M., Vuestra Majestad, V.M.
2. Alteza Real, A.R.
3. Serenísimo Señor/Serenísima Señora
4. Excelentísimo Señor
5. Ilustrísimo Señor

A B C

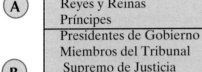

A
Reyes y Reinas
Príncipes

B
Presidentes de Gobierno
Miembros del Tribunal
 Supremo de Justicia
Gobernadores civiles
Presidentes de Comunidades
Autónomas
Alcaldes de Madrid y Barcelona
Rectores y Vicerrectores
de Universidades

C
Subsecretarios y Directores Generales
Generales del Ejército
Alcaldes de capital de provincia
Magistrados
Presidentes de las Diputaciones Provinciales
Directores de Institutos de Enseñanza Media
Decanos y Vicedecanos de las Facultades
Directores de Escuelas Técnicas Superiores

2

Buscando trabajo

A. OFERTAS DE TRABAJO

1

ASFOR
RECURSOS HUMANOS

SELECCIONA PARA EL
DEPARTAMENTO FINANCIERO DE
UNA EMPRESA MULTINACIONAL

SECRETARIA DE DIRECCION

(Ref.: S.D.)

SE REQUIERE:
- Experiencia en torno a dos años en tareas similares o departamento afín.
- Dominio del idioma inglés.
- Edad entre 25-30 años.

SE OFRECE:
- Incorporación inmediata.
- Horario de 8,30 a 14 horas y 15,30 horas a 18,30 horas.
- Remuneración en torno a 2,5 millones de pts./b/a.

Interesadas enviar urgentemente historial profesional y fotografía tamaño carnet a: ASFOR, Recursos Humanos C/ Alcántara, 57, 1° D (28006 MADRID).

(Indicando en el sobre la referencia).

Se garantiza absoluta confidencialidad en el proceso de selección.

2

IMPORTANTE GRUPO EMPRESARIAL

para su dirección general en Madrid precisa

SECRETARIA/O EJECUTIVA/O

Referencia SEM

Deseamos incorporar a nuestra organización una persona con gran iniciativa y eficacia, así como madurez y facilidad para las relaciones públicas, con conocimientos adecuados (redacción de documentos de dirección, tratamiento de textos...) y experiencia como colaborador/a en esta función de alta dirección.

Es imprescindible dominio del alemán hablado y escrito, de modo que pueda establecer relaciones a nivel dirección con el extranjero. Se valorará muy positivamente el dominio del francés y del inglés.

Ofrecemos:
- Incorporación inmediata en la plantilla del grupo.
- Retribución a convenir en función del candidato; no rechazaremos ninguna candidatura por esta razón.
- Reserva absoluta en el proceso de selección.

Rogamos a los interesados se dirijan enviando su *currículum* con fotografía reciente y teléfono de contacto, al apartado de Correos 46.092, 28080 Madrid, indicando en el sobre la referencia.

3

EMPRESA INTERNACIONAL
SOLICITA

SECRETARIA ~perfectamente~ BILINGÜE

ESPAÑOL - FRANCES

Para integrarse en equipos de Marketing
y Ventas, Zona de Arturo Soria.

(2.000.000 - 2.200.000 Ptas. brutas)

Se requiere formación de secretariado.

Enviar carta manuscrita en francés, con fotografía y teléfono de contacto al Apartado de Correos n.° 6.102
28080 de Madrid, indicando en el sobre referencia 134-B.

4

EMPRESA MULTINACIONAL LÍDER EN SU SECTOR

precisa para sus oficinas en Madrid

SECRETARIA INTERNACIONAL

2.200.000 pesetas (referencia 600)

Se requiere:
- Dominio del idioma inglés.
- Experiencia de 3 o más años.
- Dinamismo e iniciativa.
- Habilidad para comunicarse en el entorno de una gran multinacional.

Se ofrece:
- Incorporación inmediata.
- Retribución del orden de 2.200.000 pesetas brutas anuales.

5

TELEFONISTA-RECEPCIONISTA

1.300.000 pesetas (referencia 610)

Se requiere:
- Conocimientos de inglés.
- Dotes en el trato con el público.
- Mecanografía, archivo, correspondencia, etcétera.

Se ofrece:
- Incorporación inmediata.
- Salario negociable según valía, del orden de 1.300.000 pesetas brutas anuales.

En ambos casos no se desestimará ninguna candidatura por motivos económicos. Alta en Seguridad Social y en nómina.

Enviar *currículum vitae* al apartado 53.117, 28080 Madrid, indicando en el sobre la referencia.

1. Para leer y comprender

a) *Tome nota y conteste:*

1. ¿Qué tipo de empresas ofrecen los trabajos?
2. ¿Qué diferencias hay entre los títulos y los empleos?
3. ¿Quién se responsabiliza del anuncio?
4. ¿Qué idiomas se precisan y a qué nivel?
5. ¿Se limita la edad del candidato/a?
6. ¿Qué sueldos ofrecen?
7. ¿Dónde están las empresas?
8. ¿Se exige experiencia?

b) *Escriba las expresiones que indican:*

Anuncio Número	1	2	3	4	5
El tamaño de la empresa					
Otros datos sobre la empresa					
Cualidades personales (imprescindibles o no)					
Formación profesional					
Condiciones económicas					

c) Explique o defina:

Anuncio 1:   Ref.: S.D.
departamento afín
dominio del idioma inglés
remuneración en torno a 2,5 millones de ptas/b/a

Anuncio 2:   tratamiento de textos
se valorará positivamente
retribución a convenir en función del candidato

Anuncio 3:   enviar carta manuscrita
2.000.000-2.200.000 ptas. brutas

Anuncio 4:   empresa líder en su sector
retribución del orden de

Anuncio 5:   salario negociable según valía
alta en Seguridad Social

2. Para hablar

a) Resuma oralmente:

	Se requiere	Se ofrece	Se ruega	Se garantiza
En el anuncio 1..................				
En el anuncio 2..................				
En el anuncio 3..................				
En el anuncio 4..................				
En el anuncio 5..................				

b) En grupos: cada alumno selecciona uno de los anuncios y explica las razones de su elección.

c) Por parejas: intercambien opiniones sobre las características del empleo que han elegido y su formación profesional, experiencia, ambiciones, etc.

3. *Para practicar*

a) **Complete las frases siguientes con la forma correcta de los verbos: requerir, ofrecer, rogar, garantizar, buscar, necesitar, precisar.**

Ejemplo: *Para ser secretaria en una empresa española, se requiere dominio del idioma español.*

1. Para empresa internacional ....

2. ....a todos los candidatos confidencialidad absoluta.

3. .... retribución en función de la valía del candidato/a.

4. .... contrato mínimo de un año.

5. Para nuestras oficinas en Sevilla ....

6. Importante grupo de empresas ....

b) **Termine estas frases:**

1. Ofrecemos remuneración...

2. Garantizamos ....

3. Requerimos ....

4. Empresa líder de servicios precisa ....

5. Importante grupo textil necesita ....

6. Buscamos ....

c) **Establezca una relación entre las expresiones de la columna A y las de la columna B. Tenga cuidado; algunas no tienen equivalente y otras tienen varias.**

A	B
1. afín	a) lengua
2. idioma	b) historial profesional
3. entorno	c) currículum vitae
4. incorporación	d) ref.
5. retribución	e) en torno a
6. del orden de	f) dotes en el trato con el público
7. C.V.	g) similar
8. referencia	h) ingreso
9. facilidad para las relaciones públicas	i) salario
	j) remuneración

d) **Complete el cuadro siguiente:**

Nombre	Verbo	Adjetivo	Adverbio
	ofrecer		
	necesitar		
	requerir		
	precisar		
	garantizar		
	rogar		
	buscar		

e) **Usted va a acudir a una entrevista de trabajo. Complete la siguiente ficha:**

Quién lo ofrece (empresa o nombre del entrevistador): ....

Qué ofrecen (tipo de trabajo): ....

Cuándo (hora de la entrevista/en qué momento se lo han comunicado): ....

Cómo (a través de qué medio se ha enterado de este trabajo/medio por el que le han comunicado la entrevista/medio de transporte que piensa utilizar para ir):...
....

Por qué (interés en este trabajo): ....

Dónde (dirección de la empresa): ....

Para qué (objetivo personal en este empleo):................................

4. Y para terminar

a) **Complete el anuncio con las palabras que le damos:**

IMPORTANTE ENTIDAD DE SEGUROS
LÍDER EN SU SECTOR
....

SECRETARIAS

para sus oficinas centrales en Valencia ....

- Titulación de ...., FP 2, valorándose muy positivamente una formación muy específica de ....
- Edad máxima, ...
- Mecanografía, ... y manejo de .... a nivel usuario.
- Buena presencia y dotes de ....
- Se valorarán conocimientos de ....
- Incorporación inmediata.
- .... a convenir.

Interesadas, enviar .... y .... reciente.

se ofrece
se requiere
25 años
ordenador
inglés
currículum vitae
selecciona
retribución
BUP
secretariado
fotografía
taquigrafía
organización
administrativa

b) *Por parejas: cada alumno redacta un anuncio de trabajo cuyas características explicará a su compañero, pero sin decirle el título, y éste tendrá que averiguarlo haciéndole preguntas.*

B | SOLICITUD DE EMPLEO

1

SOCIEDAD INGLESA DE INVERSIÓN

busca

SECRETARIA EJECUTIVA

- Inglés o francés fluido.
- Edad máxima 30 años.
- No se requiere experiencia.
- Se valorarán cursos de empresariales.

LLamar para entrevista al teléfono
556 76 67, de 9.00 a 18.00 horas

2

GRUPO EUROPEO DE EMPRESAS
SECTOR DE SERVICIOS
precisa para su agencia de MADRID

SECRETARIA DE DIRECCION BILINGÜE FRANCES-ESPAÑOL

Se requiere:
- Edad entre 25 y 30 años.
- Formación acorde con el puesto secretariado de dirección o estudios universitarios.
- Conocimientos de Micro-informática a nivel usuario.
- Conocimientos de base en contabilidad.
- Dedicación exclusiva.

Se ofrece:
- Incorporación inmediata a plantilla fija.
- Retribución a convenir según valía profesional.
- Posibilidades de promoción.
- Lugar de trabajo centro ciudad (plaza Emilio Castelar).
- Semana de lunes a viernes.

Interesadas mandar C.V., foto y carta manuscrita
a Ref. C.T.. López de Hoyos 168, 1º D. Esc. I
28002 MADRID

3

Abogados precisan

AUXILIAR ADMINISTRATIVA

Se requiere buena presencia y nivel cultural, no fumadora, hasta 30 años.

Enviar *curriculum* y fotografía al apartado de Correos 19.242, Madrid.

A

Muy señores míos:

He leído su anuncio en el periódico El País de fecha 15 de noviembre, para el puesto de Secretaria Ejecutiva.

Les ofrezco mis servicios, dado que creo reunir los requisitos que ustedes mencionan para el puesto. En la actualidad, tengo 27 años y cuento con experiencia, por haber estado seis meses de prácticas en una empresa hispano-francesa, así como dos años en una empresa británica. Hablo y escribo francés e inglés con fluidez y poseo conocimientos básicos de contabilidad.

Tendré mucho gusto en proporcionarles información más detallada si ustedes lo consideran necesario.

En espera de sus noticias, les saluda atentamente.

Margot Smith

Anexos: C.V. y fotografía reciente.

B

Muy señores míos:

Tengo el gusto de dirigirme a ustedes en relación con el anuncio publicado en el ABC del día 10 de octubre, en el que solicitaban una auxiliar administrativa.

Les ofrezco mis servicios para dicho puesto, ya que reúno las condiciones exigidas. Tengo 26 años y he terminado mis estudios de FP 2 Administrativo. También tengo conocimientos de inglés (nivel intermedio).

Les adjunto mi currículo y una fotografía reciente.

Quedo a la espera de sus noticias y les saludo atentamente.

Josefina Alba

1. Para leer y comprender

a) *Lea atentamente los anuncios y las cartas, y decida a qué anuncio corresponde cada una de ellas.*

b) *Señale si es Verdadero o Falso.*

Leyendo los anuncios sabemos que:

	V	F
1. Se trata de empresas grandes e importantes		
2. Las tres son empresas españolas		
3. Las tres están domiciliadas en España		
4. Las tres solicitan candidato o candidata		
5. Las tres piden C.V. y fotografía		
6. Una exige la carta escrita a mano		
7. Las tres exigen formación y experiencia		

c) *Indique si estos requisitos corresponden a las cualidades personales o al perfil profesional:*

— edad máxima, 30 años
— no fumadora
— conocimientos de informática
— valía
— buena presencia

— formación acorde con el puesto
— nivel cultural
— experiencia
— cursos de Empresariales
— inglés/francés/alemán/italiano

2. Para hablar

a) *Por parejas: estudien las cartas (A y B) y señalen el número correspondiente a cada una de las partes de ellas. A continuación, comprueben los elementos que faltan y la impresión que les producen los escritos.*

1. Destinatario   2. Dirección   3. Referencia   4. Fecha   5. Saludo
6. Despedida   7. Firma   8. Documentos incluidos

b) *Formulen preguntas sobre los anuncios y las correspondientes cartas.*

c) *En grupos: lean los anuncios y las cartas de la Sección B y decidan a quién dan el trabajo y por qué. Aprovechen la oportunidad para practicar con me, te, se, le, nos, etc.*

3. Para practicar

a) *Complete las siguientes frases con la forma correcta de los verbos Ser/Estar:*

1. Esta .... una sociedad de inversión.

2. Esa empresa .... ahora en Barcelona.

3. El anuncio dice que .... imprescindible saber alemán.

4. La fotografía .... en el sobre, pero el currículum no.

5. La entrevista .... señalada para las nueve de la mañana, pero no llegó a tiempo.

6. Mi lengua materna .... la francesa.

7. ¿............ usted fumadora?

8. Las posibilidades de promoción .... reales en este momento.

b) *Conteste a las siguientes preguntas utilizando los pronombres, según el ejemplo:*

Ejemplo: *¿Diste la carta (a ella)? = Se la di/No se la di.*

1. ¿Compra usted el periódico (a su jefe)? =
2. ¿Te examinan en la oficina (a usted)? =
3. ¿Dieron la noticia (a su jefe)? =

4. ¿Os gusta este trabajo (a vosotros)? =
5. ¿Tiene que terminar esa carta ahora (usted)? =
6. ¿Les ha dado su dirección (de usted)? =
7. ¿Comprende ella lo que digo? =
8. ¿Entregaron ellos los documentos al Jefe de Personal? =

c) *Escriba una carta solicitando uno de los empleos de la Sección A.*

d) *Rellene con sus datos este currículum vitae:*

Apellidos: ....
Nombre: ....
Fecha de nacimiento: ....
Nacionalidad: ....
Estado civil: ....
Dirección particular: ....
Dirección profesional: ....

  I.   Titulaciones:
       (Estudios Primarios/de Enseñanza Media o Profesional/Titulación Académica)
 II.   Experiencia profesional
III.   Lenguas
Inglés:..................... Francés:..................... Alemán:..................... Otras:.....................

4. *Y para terminar*

Prepárese para la entrevista y reflexione:

a) *Sobre usted mismo:*

— qué se le da bien
— qué le gusta hacer
— su experiencia laboral
— por qué le gusta este trabajo
— las actividades que practica en su tiempo libre
— las actividades que llevaba a cabo en el colegio/universidad

b) *Sobre el puesto de trabajo:*

— formación exigida
— posibilidades de promoción
— condiciones (categoría, sueldo, horario, tipo de empresa, lugar de trabajo, posibilidades de promoción)

c)   ***Sobre el siguiente cuestionario:***

Desea: trabajo de jornada completa/de media jornada

Numere del 1 al 5 (por orden de importancia para usted):
.... dinero
.... grupo humano
.... interés del trabajo
.... seguridad en el empleo
.... libertad de acción en el trabajo

Le gusta: — conocer gente nueva
               — trabajar en equipo
               — hacer trabajo manual/intelectual/creativo
               — practicar deportes/juegos de mesa/leer
               — viajar
               — los retos

Lo que más le gusta hacer en su tiempo libre es:

C   ENTREVISTA DE CANDIDATOS

CÓMO SUPERAR UNA ENTREVISTA DE TRABAJO

- Llegar puntualmente.
- Ajustar las respuestas a las preguntas formuladas.
- Ir vestido impecablemente.
- No falsear información.
- Tener seguridad en sí mismo.
- Comportarse con educación.
- No fumar.
- No considerar al entrevistador como un enemigo.
- Tampoco como un amigo.
- Hacer preguntas con franqueza.
- No exagerar las cualidades personales.
- Evitar criticar a los anteriores jefes.

1.   *Para leer y comprender*

Después de haber leído estos consejos, conteste:

1. Su entrevista es a las 8,30; ¿a qué hora debe llegar?
2. ¿Cómo debe ir vestido?

3. ¿Hay que ofrecer tabaco?
4. ¿Qué sensación debería dar?
5. En cuanto a la sinceridad...
6. ¿Puede llamar de tú al entrevistador? ¿Y si él lo hace?
7. Si el entrevistador le invita a tomar café, ¿qué debe hacer?
8. ¿Ha tenido mala suerte en sus trabajos anteriores?

Relacione los consejos anteriores con los siguientes términos:

— Aseo personal   — Información
— Discreción   — Dinero
— Lenguaje   — Sinceridad

c)   *Repase mentalmente:*

— Hay que ...   — Debería ...   — No puedo ...
— Tengo que ...   — No debería ...   — No tengo que ...
— Debo ....   — No debo ...   — No hay que ...

2. *Para hablar*

Usted ha recibido esta carta en la que se le comunica que ha sido aceptada su solicitud de empleo, y le dan una cita para una entrevista de trabajo:

Estimada señorita:

Acusamos recibo de su atenta carta del pasado día 7, en la que solicita el puesto de secretaria en nuestra firma.

Tenemos el gusto de comunicarle que ha sido usted preseleccionada y que tendrá que presentarse en nuestras oficinas el miércoles 15 del presente mes, a las 16,00, para mantener una entrevista con el señor Tena.

Le saluda muy atentamente.

Fdo.: Luis Mejía
Departamento de Personal

P.D.: Le rogamos confirme por teléfono.

---

a) **Por parejas: Tomen nota de los datos y preparen la conversación telefónica para confirmar que asistirán a la entrevista.**

b) **De acuerdo con el puesto de trabajo que ha solicitado en la Sección B y su currículum vitae, prepárese para contestar a las siguientes preguntas de la entrevista:**

1. ¿Qué estudios y titulaciones posee?
2. ¿En qué año terminó sus estudios?
3. ¿Qué nivel tiene usted de idiomas?
4. ¿Dónde los estudió?
5. Hábleme de su experiencia laboral.
6. ¿Qué funciones desempeñaba exactamente?
7. ¿Por qué se fue de la empresa o por qué quiere irse?
8. ¿Por qué ha solicitado este trabajo?
9. En cuanto a las condiciones..., ¿tendría usted inconveniente en viajar o en trabajar algún fin de semana?
10. ¿Cuáles son sus aspiraciones económicas?
11. ¿Practica algún deporte?

c) **Por parejas: un alumno es el entrevistador y otro el candidato. Practiquen la entrevista oralmente.**

3. Para practicar

a) **Conteste por escrito a las preguntas del ejercicio 2.b).**

b) **Describa las cualidades del jefe perfecto y de la secretaria perfecta:**

	Debe ser/tener	Debería ser/tener	Tiene que ser/tener
El jefe.................			
La secretaría..........			

c) **Por el contrario:**

	No puede ser/tener	No ha de ser/tener
El jefe.................		
La secretaria..........		

d) **Complete esta autobiografía con sus datos:**

Me llamo ...., pero mi familia me llama .... Nací
en ...., en .... (provincia de ....). Nací bajo el sig-
no de ...., por lo tanto, tengo un carácter .... Mi padre se
llama/ba .... y mi madre .... A los seis años......................

Cuando cumplí diez años ....

Estudié en ....

Mis hermanos ....; sin embargo, mi hermana .... Mi juguete
favorito ....

Me gustaba .... He tenido .... hasta que me enamoré de
....

Nunca ....

Recuerdo la primera vez que ....

Mi primer sueldo ....

e) **Escriba una carta a sus padres o a su novio, contándoles la entrevista de trabajo y cómo le ha ido.**

f) **Escriba estas horas, por favor:**

— 15,45..   — .09,35: ....
— 13,10:..   — 07,00: ....
— 02,05:..   — .22,15: ....

Y estas cifras:

— 3.257.122: ....
— 23.709.035:..
— 1.500.000-1.550.000:..

4. Y para terminar

a) **Sustituya los espacios en blanco por los pronombres personales correspondientes:**

Usted está esperando el autobús y escucha la conversación de un padre y un hijo. Como hay mucho ruido, no la oye muy bien, así que tendrá que adivinar lo
que falta.

En primer lugar, el padre se dirige a una de las personas y .... pregunta:

— Oiga, por favor, ¿........... podría decir si para aquí el autobús que va a la Rosaleda?
— No .... sé. Lo único que puedo decir .... es que aquí tiene la parada el autobús que va al estadio, porque .... voy en esa dirección. Siento no poder dar .... más información.

El padre, dirigiéndose a su hijo:

— ¿Qué .... parecería cambiar el plan para esta tarde? En lugar de ir a dar un paseo, nos vamos a ver el partido de fútbol.
— Estupendo, papá. No sabes cuánto .... gusta este cambio de planes.

b) ***Lotería-Definición:***

Se escriben en trocitos de papel los términos siguientes y se meten en una caja: *incorporación, horario, remuneración, historial profesional, confidencialidad, dominio de un idioma, retribución, mecanografía, taquigrafía, candidata, tratamiento de textos, plantilla, entidad, buena presencia, dedicación exclusiva.*

A continuación, se divide a los alumnos en equipos, que deberán competir dando la definición o sinónimo de los términos a medida que se vayan sacando de la caja.

c) ***Mecanografíe esta carta que ha tomado en taquigrafía en el transcurso del examen que le han hecho para el puesto de trabajo:***

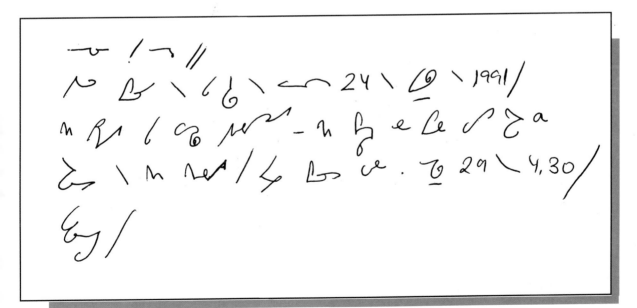

En la empresa

A ORGANIZACIÓN DE LA EMPRESA

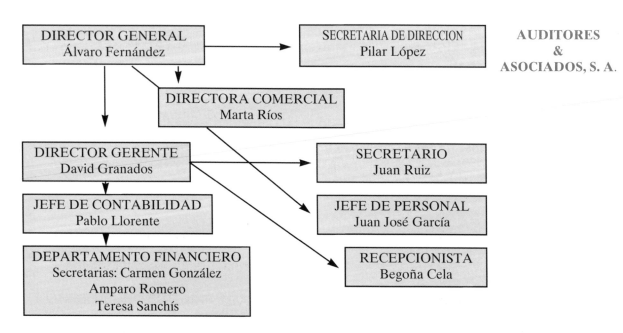

AUDITORES
&
ASOCIADOS, S. A.

| DIRECTOR GENERAL Álvaro Fernández | SECRETARIA DE DIRECCION Pilar López |

DIRECTORA COMERCIAL
Marta Ríos

DIRECTOR GERENTE
David Granados

SECRETARIO
Juan Ruiz

JEFE DE CONTABILIDAD
Pablo Llorente

JEFE DE PERSONAL
Juan José García

DEPARTAMENTO FINANCIERO
Secretarias: Carmen González
Amparo Romero
Teresa Sanchís

RECEPCIONISTA
Begoña Cela

Nuestra empresa es un grupo de auditoría cuya actividad primordial es la de ofrecer a otras empresas sus servicios, detectando fallos presentes o presentando planes futuros, y asesorando de forma parcial e independiente para lograr una óptima gestión comercial. También ofrecemos a las empresas-clientes la planificación por objetivos, con el fin de motivar y formar a sus respectivos equipos.

Auditores & Asociados, S. A., es, de acuerdo con su forma jurídica de constitución, una Sociedad Anónima formada a partir de un capital social de 50.000.000 de pesetas, que ha sido totalmente desembolsado en acciones nominales de 5.000 pesetas cada una. Sus principales accionistas son cuatro socios, entre los que se encuentran el Director General, el Director Gerente y la Directora Comercial, junto con otra persona ajena a la empresa.

En este momento, **Auditores & Asociados, S. A.,** acaba de cubrir tres puestos de trabajo que se encontraban vacantes dentro del organigrama de la empresa, dos en el Departamento Financiero para desempeñar la tarea de secretarias, y el tercer puesto es de recepcionista.

1. *Para leer y comprender*

a) *Responda a las siguientes preguntas:*

1. ¿Cuál es la actividad fundamental de la empresa **Auditores & Asociados, S. A.?**

2. Por su forma jurídica de constitución, ¿qué nombre recibe la empresa?

3. ¿A cuánto asciende el capital social?

4. ¿Cuál es el valor nominal de las acciones de **Auditores & Asociados, S. A.?**

5. De entre los socios de la empresa, ¿quiénes forman parte del equipo directivo?

6. ¿Cuáles son los puestos de trabajo recientemente cubiertos?

7. ¿Qué clase de asesoramiento realiza este grupo de auditoría?

b) *Explique:*

1. grupo de auditoría
2. gestión comercial
3. acciones nominales
4. socio capitalista
5. departamento financiero
6. empresas clientes
7. forma jurídica de constitución
8. puesto de trabajo
9. capital desembolsado
10. organigrama de la empresa

De acuerdo con el organigrama de la empresa Auditores & Asociados, S. A., relacione el nombre de la columna A con el puesto de trabajo de la columna B:

A   **B**

A	B
1. David Granados	*a)* Director General
2. Pilar López	*b)* Recepcionista
3. Álvaro Fernández	*c)* Jefe de Contabilidad
4. Juan José García	*d)* Director Gerente
5. Begoña Cela	*e)* Directora Comercial
6. Marta Ríos	*f)* Secretaria de Dirección
7. Pablo Llorente	*g)* Jefe de Personal
8. Carmen González	*h)* Secretaria Dep. Financiero

2. *Para hablar*

a) **Describa algunas de sus costumbres habituales (en el presente y en el pasado), complentado las frases siguientes:**

1. Ahora, mi horario laboral es ...., pero antes solía ser........................
2. Comencé a trabajar a la edad de .... y solía ....
3. En la oficina, apenas ....
4. Casi nunca ....
5. Los fines de semana acostumbro a .... y, generalmente, ...
6. Mi trabajo actual es .... y, con frecuencia, ...
7. Normalmente, después del trabajo ....
8. En la otra empresa, solíamos ....

b) **En grupos: describan oralmente la organización y características de la empresa Auditores y Asociados, S. A., estableciendo una comparación con la empresa en la que trabajan ustedes u otra que conozcan.**

Por parejas: uno de ustedes se ha dormido hoy y llama a la oficina para hablar con un compañero y decirle que llegará más tarde, pero por equivocación marca el número directo de su jefe. Preparen la conversación.

3. *Para practicar*

a) *Complete las frases siguientes con la preposición adecuada:*

1. José María Navarro acaba de ser nombrado Director General .... la empresa Fibras Textiles .... Tarragona.

2. .... el transcurso .... los últimos años, hemos creado empresas filiales .... España y Portugal.

3. Antonio es licenciado en Ciencias Empresariales .... la Universidad .... Valladolid.

4. La biblioteca se completó .... varios volúmenes .... revistas .... comercio internacional.

5. El mes pasado asistimos .... un seminario organizado .... el Departamento .... Formación de la Cámara de Comercio e Industria .... Madrid, que trataba .... el Mercado Único.

6. Los programas de formación solían hacerse .... enero .... junio.

b) *Partiendo de los términos que se facilitan, redacte frases como la del ejemplo siguiente: Oficina. Es el lugar donde se trabaja.*

1. Entidad bancaria
2. Domicilio particular
3. Ministerio de Economía
4. Agencia inmobiliaria
5. Universidad

6. Salón de actos
7. Factoría
8. Cafetería
9. Aula de formación

c) *Sustituya los espacios en blanco con la forma de los verbos Ser/Estar, según convenga:*

1. Nos .... muy grato presentarles esta propuesta.

2. España .... ahora de moda y atrae muchas inversiones.

3. La actual expansión .... respaldada por una sólida demanda interna.

4. Sin embargo, la inversión .... para este año.

5. Su labor .... muy importante para nosotros.

6. ¿Quién .... con usted en el seminario de la semana pasada?

d) *Relacione las expresiones de la columna A con las de la columna B, y a conti-nuación escriba varias frases para practicar con los posesivos, según el ejemplo:*

Ejemplo: ***Nuestro*** *error fue muy grave, pero el* **suyo...**
Comprendo su problema, pero entienda **nuestra ...**

 A

 B

	A		B
1.	error	*a)*	complacido
2.	recibo	*b)*	ordenar
3.	enfrente	*c)*	irritarse
4.	comprender	*d)*	cobro
5.	satisfecho	*e)*	conciso
6.	semejante	*f)*	parecido
7.	imitar	*g)*	sentir
8.	reserva	*h)*	delante
9.	lacónico	*i)*	equivocación
10.	lamentar	*j)*	copiar
11.	clasificar	*k)*	secreto
12.	molestarse	*l)*	entender

4. *Y para terminar*

a) *Dibuje usted el organigrama de esta empresa, con estos componentes:*

Director General: David Peira

Director de Personal: Rafael Vega

Director Financiero: Pedro Herrera

Directora de I+D: Aurora March

Director de Marketing: Javier Gómez

(I+D, investigación y desarrollo)

Directora de Formación: Marta León

Jefe de Documentación: Ignacio Pons

Secretarias: Leticia, María Jesús y Consuelo

b) *Por parejas: Elija uno de los personajes del ejercicio anterior y comente a su compañero cómo es su empresa, a qué se dedica, qué tal es su jefe/sus compa-ñeros/su secretaria, qué es lo que más le gusta de su trabajo, etc.*

B   RELACIONES CON LOS JEFES Y COMPAÑEROS

Auditores & Asociados, S. A., ha encargado recientemente a una empresa de consultoría la tarea de búsqueda y posterior selección de dos personas que reúnan los requisitos adecuados para cubrir dos puestos de trabajo de secretaria y otro puesto de recepcionista. Las secretarias pertenecen al Departamento Financiero de la empresa, y su jefe inmediato es Pablo Llorente, Jefe de Contabilidad.

Amparo Romero y Teresa Sanchís, las nuevas secretarias, se incorporan hoy a su trabajo, en donde son recibidas por Juan José García, Jefe de Personal, que las conducirá al Departamento Financiero, donde van a desempeñar su labor; allí se encuentran con su compañera Carmen González. Ésta es la situación:

Carmen González: Buenos días. ¿Qué tal estáis? Vosotras debéis de ser las nuevas secretarias. Yo soy Carmen González y estoy encantada de saludaros y daros la bienvenida.

Amparo Romero: Nosotras también nos alegramos de conocerte. Estamos deseando empezar a trabajar.

Teresa Sanchís: Encantada, Carmen. ¿Sabes cuándo nos incorporaremos al trabajo y cuáles serán nuestras obligaciones?

Carmen González: Todo eso os lo explicará enseguida Pablo Llorente, el Jefe de Contabilidad. Yo, únicamente os puedo decir que os instalaréis en este despacho conmigo. Si os parece, podéis ocupar las dos mesas que están situadas a la izquierda de la ventana.

Pablo Llorente: Buenos días, señoritas. ¿Cómo están ustedes?

Teresa Sanchís: Hola, buenos días. Mucho gusto en saludarle. Hablábamos con Carmen acerca de nuestro trabajo aquí.

Pablo Llorente Sí. Ustedes son del Departamento Financiero..., por lo tanto colaborarán en las tareas propias del puesto. Amparo se responsabilizará del archivo y manejará el ordenador, mientras que Teresa será la encargada del correo y tendrá a su cargo el teléfono, el fax y el télex. Su incorporación a la empresa será hoy mismo, porque tenemos gran cantidad de trabajo atrasado y es necesario comenzar inmediatamente.

Amparo Romero: ¡Vaya ordenador! Parece muy complicado.

Carmen González: Sí, efectivamente, es un ordenador muy potente, pero se maneja con mucha facilidad... si sabes algo de informática. De todas formas, puedo explicarte cómo funciona.

Amparo Romero: ¿Ahora mismo?

Carmen González: Cuando quieras.

1. Para leer y comprender

a) Escoja la respuesta correcta de entre las tres propuestas:

1. La empresa **Auditores & Asociados, S. A.,** ha contratado recientemente a:

   a) un contable y dos recepcionistas
   b) una recepcionista y dos secretarias
   c) dos telefonistas y un conserje

2. Las nuevas secretarias se incorporarán a su trabajo:
   a) dentro de dos semanas
   b) el mes próximo
   c) ese mismo día

3. Teresa y Amparo compartirán el despacho con:
   a) Marta Ríos
   b) Pablo Llorente
   c) Carmen González

4. Teresa será la responsable del:
   a) archivo
   b) correo
   c) ordenador

5. Las secretarias recién contratadas muestran un gran interés por:
   a) conocer su trabajo
   b) saber quién va a ser su jefe
   c) saludar a sus compañeros

6. Cuando Amparo ve el ordenador, éste le parece:
   a) muy bonito
   b) pasado de moda
   c) muy complicado

b) *Tome nota de todas las expresiones que indican obligaciones en el futuro, así como de las que dan razones o explicaciones.*

c) *Subraye todas aquellas palabras que no conoce y trate de averiguar su significado mediante el contexto.*

d) *Reflexione sobre la diferencia entre:*

— incorporarse a una empresa/incorporarse de la silla
— conducir algo/conducir a alguien
— jefe inmediato/futuro inmediato
— posterior selección/asiento posterior
— mesa redonda/mesa de despacho

2. *Para hablar*

a) *En grupo: comenten el recibimiento que ha hecho Carmen González a las dos nuevas secretarias. ¿Qué les ha parecido? ¿Qué opinan de la actitud de las dos nuevas secretarias hacia su trabajo?*

b) **Por parejas: preparen la conversación con una secretaria que acaba de entrar en su empresa y a la que tienen que recibir, presentar al resto de los compañeros y explicarle las principales actividades de la empresa. También, pueden enseñarle a manejar el ordenador o el fax.**

c) **Diga si los siguientes fragmentos de conversación corresponden a un nivel de lengua formal o informal, y si forman parte del saludo o de la despedida. A continuación, en grupos, pronuncien en voz alta cada una de las fórmulas empleando distintos tonos (alegre, cansado, enfadado, hosco, a regañadientes).**

1. Encantada de saludarle.
2. ¡Hola! ¿Qué tal, Amparo?
3. Adiós, buenos días, señor Fernández.
4. Muy bien, gracias, ¿y usted?
5. Adiós, hasta la vista.
6. ¿Cómo está usted, señor Llorente?
7. ¡Hola, Carmen! ¿Qué tal estás?
8. Tengo mucho gusto en conocerle.
9. Buenas tardes, señores ¿Cómo están ustedes?
10. Buenos días, yo soy Teresa Sanchís.

3. *Para practicar*

a) **Complete las siguientes frases dando explicaciones:**

1. Una de las secretarias se asusta ....
2. Las secretarias tienen que empezar a trabajar hoy ....
3. Tengo que aprender informática ....
4. Tienes que cambiar de trabajo ....
5. Hay mucho trabajo atrasado ....

b) **Explique las obligaciones que va a tener usted en su nuevo trabajo.**

Ejemplo: *Me encargaré de la correspondencia y de recibir a los proveedores.*

1. ordenador/manejar/introducir datos
2. teléfono/contestar/tomar mensajes
3. clientes/atender
4. ferias y exposiciones/preparar/organizar
5. publicaciones/traducir y elaborar resúmenes

c) **Transforme el texto que va a continuación, del pasado al futuro, cambiando el tiempo de las formas verbales en cursiva:**

La cotización de la acción BBV durante 1990 *ha estado sometida* a los avatares que la entrada en el mercado continuo, el comportamiento de la economía española y la crisis del Golfo *han impuesto* a los mercados bursátiles. *Ha sido* un año de descensos en los índices generales, y la acción BBV no *ha podido* sustraerse a esa tendencia. (...) El beneficio neto por acción *asciende* a 439 pesetas, con un crecimiento del 10,3 % sobre el año 1989, y el dividendo por acción *se sitúa* en 158 pesetas, un 7,2 % superior al percibido en el año anterior.

INFORMACIÓN FINANCIERA. Ejercicio 1990. BBV.

d) **Escriba los sustantivos que corresponden a los siguientes verbos con su correspondiente artículo:**

1. ofrecer
2. formar
3. desembolsar
4. leer
5. recibir
6. ascender

7. realizar
8. asesorar
9. habituar
10. improvisar
11. trabajar
12. convocar

4. Y para terminar

a) **En grupos: preparen un cuestionario sobre los rasgos de carácter que deben poseer los compañeros de trabajo ideales. Posteriormente, cada grupo nombra un portavoz para que resuma las cualidades, y así hacer un retrato robot con las características comunes.**

b) **En esta Sopa de Letras puede encontrar los sinónimos de las siguientes palabras:**

equivocación
jefe
costumbre
ciudad
encargo
seguridad
reunión
coloquio
posible
concesión

A	F	G	M	V	K	N	O	K	M	E	S
O	S	I	M	R	E	P	S	M	X	B	T
M	C	M	J	E	G	G	P	K	L	R	Ñ
V	D	E	S	E	O	J	M	S	H	U	R
D	A	E	R	O	R	N	U	R	T	Ñ	V
D	E	R	M	T	R	P	O	N	H	B	N
F	O	M	V	K	E	O	K	M	T	S	P
R	Ñ	D	R	R	W	Z	M	X	F	A	S
M	H	M	I	E	G	G	A	K	D	M	Ñ
E	D	O	S	A	E	C	M	I	H	V	R
D	R	E	H	O	L	N	D	R	T	Ñ	V
D	E	R	M	O	Ñ	O	O	B	H	B	N
F	G	M	V	S	N	O	G	M	D	S	X
V	I	R	T	U	A	L	A	O	R	T	Ñ
V	E	X	F	H	U	T	Z	D	Q	P	A

La empresa **Auditores & Asociados, S. A.,** ha crecido considerablemente en los últimos dos años, y por ello su Director General busca un edificio de oficinas amplio y de nueva construcción con el fin de trasladarla allí.

El nuevo edificio debe reunir las características siguientes:

- Estará situado en un área estratégica de expansión económica, en donde estén instalados los sistemas más modernos de telecomunicaciones de España.

- La zona debe estar dotada de comunicaciones fáciles y rápidas, con accesos a la autopista y estación de ferrocarril cercana.

- El edificio deberá estar dedicado únicamente a oficinas de alto nivel.

- La construcción contará con las experiencias más avanzadas, tales como la flexibilidad de espacios, control inteligente, seguridad y protección total.

- Dotado de suficientes plazas de aparcamiento, de tal manera que, además de las necesarias, disponga de algunas más para sus colaboradores y visitantes.

Dispondrá este edificio de una completa infraestructura de servicios, con instalaciones tales como locales para convenciones, salas de vídeo, salas de conferencias, etc.

La empresa **Auditores & Asociados, S. A.,** ha adquirido tres plantas de oficinas, que han sido distribuidas tal como muestran los planos, de tal manera que en su interior se reparten todos los despachos y dependencias de la empresa.

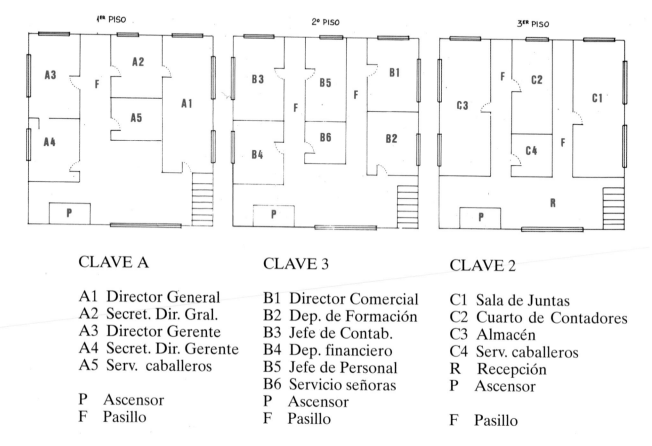

CLAVE A

A1 Director General
A2 Secret. Dir. Gral.
A3 Director Gerente
A4 Secret. Dir. Gerente
A5 Serv. caballeros

P   Ascensor
F   Pasillo

CLAVE 3

B1 Director Comercial
B2 Dep. de Formación
B3 Jefe de Contab.
B4 Dep. financiero
B5 Jefe de Personal
B6 Servicio señoras

P   Ascensor
F   Pasillo

CLAVE 2

C1 Sala de Juntas
C2 Cuarto de Contadores
C3 Almacén
C4 Serv. caballeros
R   Recepción
P   Ascensor

F   Pasillo

1. *Para leer y comprender*

a) ***Después de leer el anuncio* oficinas en venta,** *escoja la respuesta que se adapte a las características del edificio de entre las tres propuestas:*

1. Las oficinas objeto del anuncio son para:
   a) alquilar por meses
   b) comprar
   c) alquilar por un año

2. Cada una de las plantas del edificio es:
   a) luminosa y flexible
   b) dividida con tabiques
   c) con cuatro despachos por planta

3. La compra de las oficinas se puede realizar:
   a) todo el edificio completo
   b) por despachos
   c) completo o por plantas

4. El edificio en venta está destinado a:
   a) viviendas
   b) oficinas y viviendas
   c) oficinas solamente

5. En cuanto al problema del aparcamiento, el edificio cuenta con:
   a) un aparcamiento público muy cerca
   b) plazas de garaje para cada una de las plantas
   c) no ofrece ninguna solución

6. Las plantas tienen una superficie de:
   a) 1.200 m^2
   b) 2.000 m^2
   c) 500 m^2

b) *Explique o defina:*

1. material de oficina
2. recepción
3. ascensor
4. pasillo
5. cuarto de contadores
6. equipamiento
7. almacén
8. tabique

c) *Responda Verdadero o Falso, justificando el porqué.*

1. **Auditores & Asociados, S. A.,** no considera imprescindible que su nueva sede esté situada en un área de expansión económica.

2. El edificio de oficinas debe contar con servicios propios para sus actividades empresariales.

3. Es necesario que disponga de zonas comerciales, para el ocio e instalaciones deportivas.

4. En cuanto a su situación, dispondrá de comunicaciones fáciles y rápidas.

5. En el edificio, sólo se instalarán oficinas de alto nivel.

6. Las nuevas oficinas estarán situadas en un espacio que disponga de abundantes zonas ajardinadas.

7. La estación de metro más cercana no distará más de doscientos metros.

2. Para hablar

a) **Por parejas:** Usted está en la recepción de **Auditores & Asociados, S. A.,** y quiere pedir información para dirigirse a las diferentes dependencias y despachos. Formule esas preguntas. Su compañero le contestará según el plano de la página 48.

    Ejemplo: P: *Por favor, ¿dónde está el despacho del Jefe de Personal?*
                R: *Tiene usted que subir al segundo piso, y una vez allí, en el primer pasillo, es la segunda puerta a la derecha.*

b) **Por parejas:** Su jefe le ha encargado la tarea de llamar por teléfono a los clientes más importantes de su empresa, para comunicarles que en breve la sede de ésta se trasladará a otro edificio. Preparen la conversación.

c) **En dos grupos:** El primer grupo prepara un informe de carácter descriptivo sobre las características que debe tener el edificio de oficinas que precisan. El otro grupo, que representa a la agencia inmobiliaria, deberá preparar diversas ofertas de edificios de oficinas. La segunda parte del ejercicio consiste en hacer una puesta en común tratando la situación de la oferta y la demanda y discusión sobre espacio, precios y acondicionamiento.

3. Para practicar

a) *Tomando como punto de referencia los planos de las nuevas oficinas de* **Auditores & Asociados, S. A.,** *responda a las preguntas, utilizando las siguientes locuciones: junto a, enfrente de, al principio de, al final de, entre, encima de, debajo de.*

    1.   ¿Dónde está el almacén?

    2.   ¿Dónde está el despacho del Jefe de Contabilidad?

    3.   ¿Dónde se encuentra la recepción?

    4.   ¿Dónde está el despacho de la Directora Comercial?

    5.   ¿Dónde están los servicios de señoras?

b) *Redacte una frase con cada uno de los siguientes adjetivos:*

— magníficas   — sorprendente
— espléndido   — maravillosos
— incomparable   — grandiosa
— preciosos   — impresionante

c) **Sustituya, en las frases que van a continuación, la expresión en cursiva por otra, sin que cambie su significado:**

1. Nuestra empresa *ha aumentado de una manera desproporcionada* durante los últimos cuatro años.

2. Los beneficios se han duplicado *en el último ejercicio*.

3. La multinacional alemana *registró un espectacular descenso* en las ventas del segundo semestre del año pasado.

4. Fuimos a visitar el nuevo edificio, porque *pensamos trasladarnos en breve* allí.

5. Los despachos están distribuidos *tal como aparecen* en el plano adjunto.

6. Aquella fue una de las claves *para alcanzar el éxito* empresarial.

d) **Relacione las expresiones de las dos columnas según convenga:**

A

1. óptima inversión
2. núcleo viario
3. fax y télex
4. zonas de esparcimiento
5. despachos funcionales
6. viviendas
7. plazas de garaje
8. contrato de compra-venta

B

a) aparcamientos
b) zona residencial
c) autopistas
d) zonas de ocio
e) revalorización
f) oficinas de alto nivel
g) contrato de alquiler
h) telecomunicaciones

e) **Escriba estas operaciones aritméticas:**

1. 50+100=150..
2. 314-90=224..
3. 10x10=100..
4. 1.000:2=500..

f) **Escriba en letras estas cantidades:**

Las nuevas oficinas han sido adquiridas por la cantidad de ....
(90.000.000 [m.] de ptas.). Esta cantidad ha sido abonada mediante dos talones bancarios por ....(47.000.000 [m.]

de ptas.) el primero, y otro de ....(42.500.000 ptas.)
dejando a deber la cantidad de .... (500.000 ptas.).
Este mes, la'inmobiliaria ha ingresado talones por valor de.................................
(45.745.000 ptas.)..
(9.250.000 ptas.) y...
(86.000.325 ptas.). Todos ellos hacen un total de...
....

4. Y para terminar

a) **Seleccione, de entre las siguientes palabras, los términos que corresponden al mobiliario y equipamiento de la oficina. A continuación, busque un adjetivo en el diccionario para calificarlos:**

papelera, lavadora, telefax, abrecartas, mirador, grapas, diván, televisor, archivador, calculadora, agenda, camas, fotocopiadora, rotuladores, cocina, despensa, ordenador, sillón.

b) **¿Podría expresar oralmente y luego por escrito estas medidas?**

Recuerde: .... de alto **x** ....de ancho **x** .... de largo
                      (altura)   (anchura)   (longitud)

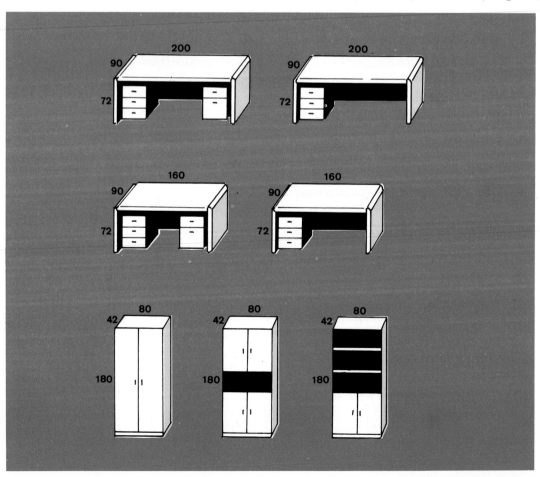

4

En funciones

A CONCERTAR CITAS DE TRABAJO

Telefonista:	Europea de Servicios, buenos días.
Secretaria:	Buenos días. ¿Sería tan amable de ponerme con el señor Bertram?
Telefonista:	Un momento, por favor,
Secretaria:	Gracias.
Telefonista:	Oiga..., el señor Bertram está comunicando. ¿Espera o vuelve a llamar?
Secretaria	¿Podría darle un recado?
Telefonista:	Por supuesto..., espere un segundo. El señor Bertram ha dejado de hablar.
Secretaria:	¡Ah! Muy bien. Muchas gracias.
Telefonista:	Le pongo.
Señor Bertram:	¿Sí?
Secretaria:	¿Señor Bertram?
Señor Bertram:	Sí, al aparato.
Secretaria:	Le llamo de parte del señor Puerto, de **Comersa.**
Señor Bertram:	Ah, sí. Dígame. ¿Cuándo podríamos vernos?
Secretaria:	¿Le vendría bien mañana, a las 11?
Señor Bertram:	Sí. Perfecto. Me viene bien. Mañana... martes, a las 11 de la mañana. ¿En **Comersa,** no?

Secretaria:	Sí, en nuestras oficinas. ¿Sabe la dirección?
Señor Bertram:	Creo que sí. Calle de Almagro... 38, ¿piso?
Secretaria:	Estamos en el segundo piso.
Señor Bertram:	De acuerdo, señorita.
Secretaria:	Muchas gracias y hasta mañana.
Señor Bertram:	Hasta mañana.

1. Para leer y comprender

a) Tome notas y conteste:

1. ¿Cómo se llama la empresa que recibe la llamada?
2. ¿Y la empresa desde la que se llama?
3. ¿Por quién preguntan?
4. ¿De parte de quién es la llamada?
5. ¿Quién hace la llamada?
6. ¿Cuál es el fin de la llamada?
7. Diga todos los detalles de la cita.

b) Escriba todas las expresiones que indiquen:

1. Saludo
2. Despedida
3. Identificación personal
4. Identificación comercial
5. Concertar citas
6. Confirmar detalles/datos

c) Explique o diga en qué situación utilizaría:

1. ¿Sería tan amable de ponerme con...?
2. El señor X está comunicando
3. Ha dejado de...
4. Al aparato
5. De parte de...
6. Me viene bien
7. Le pongo
8. Creo que sí/no

2. Para hablar

a) En grupos de tres, o por parejas, preparen una conversación para reproducirla oralmente, con estos elementos:

Telefonista: contesta e identifica su empresa
solicita que se identifique la persona que llama
pasa la llamada

Secretaria: se identifica
da la información requerida
da las gracias
informa/recibe el mensaje
finaliza la llamada y se despide

Receptor de la llamada: se identifica
                                 saluda
                                 pide detalles/acepta
                                 se despide

b) **Ponga en orden correcto la conversación telefónica entre una recepcionista, una secretaria y una cliente:**

1. *Telefonista:* Un momento, por favor.
2. *Señora Martínez de Pinillos:* Al habla.
3. *Secretaria:* ¿Doña Elena Martínez de Pinillos, por favor?
4. *Secretaria:* De nada. Gracias a usted.
5. *Telefonista:* ¿De parte de quién?
6. *Secretaria:* ¡Hasta la tarde!
7. *Secretaria:* Nieves Romero, de Expanoil.
8. *Señora Martínez:* Sí. No te preocupes. Esta tarde a las cinco en Expanoil. Gracias por confirmármelo.
9. *Señora Martínez:* ¿Dígame?
10. *Secretaria:* Buenos días. Soy Nieves Romero.
11. *Secretaria:* ¿Señora Martínez de Pinillos?
12. *Señora Martínez:* ¡Ah, sí! Dime.
13. *Secretaria:* Es para confirmar su cita con don Jaime...

c) **En grupos de tres: Reproduzcan oralmente la conversación del ejercicio anterior en orden correcto.**

3. *Para practicar*

a) **Relacione las preguntas de la columna A con las respuestas de la columna B.**

A

1. ¿Sería tan amable de ponerme con don Julio?
2. ¿Tiene nuestra dirección?
3. ¿Su horario de oficinas es sólo por las mañanas?
4. ¿Me pone con su jefe?
5. Con el señor Arespacochaga, por favor.
6. ¿SAGEL?
7. Llamo al 394 52 78

B

a) ¿A qué número llama?
b) ¿De parte de quién?
c) Lo siento, se ha confundido.
d) Le paso.
e) Creo que sí. Turia 39, bajo.
f) Creo que no. Están también por la tarde.
g) Lo siento. Está hablando en este momento.

b) **Complete estas frases:**

1. ¿Sería tan amable de ....

2. ¿Le vendría bien ....

3. Creo que no estaría ....

4. Creo que ha dejado de ....

5. En este momento estamos ....

6. ¿Sabe dónde ....

c) **Conteste de acuerdo con el ejemplo:**

Ejemplo: P: *¿Podría hacerle una consulta?*
          R: *Hágala, por favor. No faltaría más.*
          R: *Lo siento. En este momento...*

1. ¿Podría darme su número de teléfono? (tomar nota)

2. ¿Tendría usted un bolígrafo? (tener)

3. ¿Podría decirle un secreto? (decir)

4. ¿Podría comentarle una noticia? (comunicar)

5. ¿Podría irme ya? (marchar)

d) **Relacione los términos de la columna A con las definiciones de la columna B**

 A   B

A	B
1. telefonista	*a)* (año en curso) abreviaturas para indicar la fecha de un escrito
2. recepcionista	
3. mensaje	*b)* conjunto de signos que se asigna a cada línea telefónica
4. n.º de tel.	
5. receptor (de la llamada)	*c)* persona que se ocupa de las comunicaciones por teléfono
6. receptor (aparato)	
7. a.c.	*d)* persona a la que se llama por teléfono
	e) persona que se ocupa de atender al público
	f) comunicación escrita u oral
	g) aparato que sirve para recibir señales telefónicas

e) **Su jefe le ha entregado una nota con los datos que le damos a continuación. Usted tiene que llamar por teléfono a estas dos personas para concertar citas de trabajo. Escriba las conversaciones.**

1. Señor Lucientes, de P & S
    reunión 6 por la tarde
    aquí o en su hotel
    n.º de tel.: 518 22 67

2. Fernández y Marugán
    Abogados
    semana del 6 al 10
    contratos y cláusulas a.c.

4. Y para terminar

a) Tome nota del mensaje que había en el contestador automático para su jefe:

«El mensaje es para el señor Aranguren de parte del señor Lawrence, de Consulting, S. A. Estoy en el Hotel Plaza, habitación 307. Número de teléfono 508 15 39. Regreso a Londres mañana por la mañana. Contacte conmigo. Gracias.»

Para el señor: ....

Llamada de: ....

De la empresa:..

Dijo: ....

Hora:..

b) Su jefe está de viaje y regresa mañana por la tarde. ¿Qué haría para comunicarle el mensaje de a):?

Debería   Podría   Tendría que   Llamaría   Lo localizaría en

B   CONFIRMAR CITAS Y REUNIONES DE TRABAJO

Primera llamada

Telefonista: Le habla el contestador automático de Comersa. En este momento no podemos atenderle. Deje su nombre, número de teléfono y el mensaje a partir de la señal, y le llamaremos lo más pronto posible. Muchas gracias.

Secretaria: El mensaje es para el señor Muñoz: que llame mañana, por favor, a la señora Guardiola, de Intermex. Teléfono 829 10 10 de Barcelona, extensión 5. Gracias.

Segunda llamada

Telefonista:	**Intermex.** ¿Dígame?
Señor Muñoz:	Buenos días. Quisiera hablar con la señora Guardiola, por favor. Extensión número 5.
Telefonista:	Un segundito..., le paso.
Señor Muñoz:	Gracias.
Señora Guardiola:	Hola... ¿Quién habla?
Señor Muñoz:	Hola, buenos días. Soy Muñoz, de **Comersa.** Tenía un mensaje...
Señora Guardiola:	¡Ah, sí! Soy Lucila Guardiola. ¿Qué tal estás?
Señor Muñoz:	Muy bien, ¿y usted?
Señora Guardiola:	Muy bien, gracias. Mire, la semana que viene voy a ir a Madrid y quisiera confirmar nuestra entrevista para el miércoles.
Señor Muñoz:	Sí, efectivamente. El miércoles día 11, a las nueve de la mañana.
Señora Guardiola:	Muy bien. Perfecto. Entonces..., hasta el miércoles. Un saludo.
Señor Muñoz:	Encantado de saludarla, señora Guardiola.

1.   *Para leer y comprender*

a)   *Confirme o niegue las siguientes afirmaciones sobre las dos llamadas telefónicas, dando explicaciones:*

En la primera llamada:
1.   El teléfono está comunicando.
2.   La secretaria del señor Muñoz hace la llamada.
3.   La persona vuelve a llamar más tarde.
4.   El mensaje es para que el señor Muñoz llame a Barcelona.

En la segunda llamada:
5.   El señor Muñoz llama directamente a la señora Guardiola.
6.   La señora Guardiola quiere confirmar la entrevista para esta semana.
7.   La cita es por la mañana.
8.   La finalidad de la entrevista es almorzar en un hotel madrileño.

b)   *Localice en el texto las expresiones que se utilizan con el mismo sentido que:*

1.   ¿Quién lo llama?
2.   Nuestro horario de oficinas es hasta las 18,00.
3.   Éste es el contestador automático.
4.   Diga sus datos.
5.   Al instante.
6.   ¿Sería tan amable de ponerme con...?

c) **Complete de memoria el mensaje del contestador:**

El mensaje .... el señor Muñoz: que ....
mañana .... la señora Guardiola .... **Intermex**. ....
829 10 10 .... Barcelona, ... 5. Gracias.

d) **Anote todas las expresiones que se utilizan para acordar una cita y añada otras que usted recuerde.**

2. *Para hablar*

a) **Por parejas: un alumno resume a su compañero el texto de la primera llamada, y el otro, la conversación de la segunda llamada, utilizando:**

En la primera llamada, el contestador automático dijo que ....

El mensaje que la secretaria grabó era ....

En la segunda llamada, el señor Muñoz pidió ...., a continuación, la señora Guardiola informó ....

b) **Por parejas: preparen el texto para grabarlo en el contestador automático de una empresa, así como el mensaje que van a dejar. Pueden utilizar estos datos:**

El mensaje es para **Arquitectura Exterior, S. A.**
          Jorge Sans
Su empresa es **Tívoli Hotel**
Su jefe es Antonio de Castro
Domicilio de su empresa: Norte, s/n
          Sitges. Teléfono 394 10 11

Su jefe desea tener una entrevista con el señor Sans lo más pronto posible.

c) **Por parejas: una persona dice el «texto grabado en el contestador» y la otra lee el mensaje que se ha preparado en el ejercicio anterior. También lo pueden grabar en casa.**

3. *Para practicar*

a) **Éstas son las instrucciones que su jefe le ha dejado en el dictáfono. Coménte-las por escrito utilizando:**

— *Me pidió que...*
— *Me dejó instrucciones para que...*

1. Llame al señor Campany, de Pisa, para concertar entrevista en Roma, en el Grand Hotel. El día puede ser el 9 ó el 10 de junio. Preferiblemente por la mañana. Asunto: Campaña'93.

2. Telefonee a los señores De Moriani para confirmar nuestra cita del día 7 de junio, a las 6 de la tarde, en el Hotel Excelsior de Milán.

3. Confirme la reunión de mañana con Pepe León.

4. Mande un ramo de flores a la señora de Alonso.

5. Reclame las facturas del Estudio de Mercado que nos hicieron el mes pasado, porque hay que incluirlas en la partida de gastos de este mes.

b) **Elijan dos de las situaciones y escriban las correspondientes conversaciones. Naturalmente, se supone que ustedes tienen todos los datos (nombre y teléfono de cada una de las empresas a las que tienen que llamar).**

c) **Su jefe se ha dejado en el despacho la agenda y llama por teléfono para que usted le diga las citas del día siguiente. Complete la conversación con ayuda de la agenda:**

Jefe: Julia...
Secretaria: Hola, señor Arcas.
Jefe: Me dejé la agenda encima de la mesa. ¿Podrías decirme a qué hora es la reunión con Dragados?
Secretaria: Un momentito... ¿Señor Arcas?
Jefe: Dime.
Secretaria: La reunión con Dragados es ....
Jefe: ¿Y a primera hora?
Secretaria: A las 9 .... y luego ....
Jefe: ¿Nada más?
Secretaria: Bueno, a las 10,30 ....
Jefe: ¿Ha llamado el señor León para confirmarlo?
Secretaria: ....
Jefe: Llama, por favor, a su secretaria y que te lo confirme.
Secretaria: De acuerdo.
Jefe: ¿A qué hora tengo el vuelo a Roma?

1991 V S D	Octubre 1991 L M M J V S D	**Noviembre 1991** L M M J V S D	Diciembre 1 L M M J
1			
5 6 7 **8**	1 2 3 4 5 **6**	1 2 **3**	2 3 4 5
2 13 14 **15**	7 8 9 10 11 12 **13**	4 5 6 7 8 9 **10**	9 10 11 12
9 20 21 **22**	14 15 16 17 18 19 **20**	11 12 13 14 15 16 **17**	16 17 18 19 .
5 27 28 **29**	21 22 23 24 25 26 **27**	18 19 20 21 22 23 **24**	23 24 **25** 26 2
	28 29 30 31	25 26 27 28 29 30	30 31

embre	Martes	**12 Noviembre**	Miércoles
	09:00	Firma contrato HC	
		Llamar JF	
	10:30	Pepe León ¿?	
	12:00	DRAGADOS / Castellana	
		Almuerzo ¿?	
	19:10	IB / Roma	

Secretaria:...

Jefe: Hum... Pues nada más. Gracias, Julia. Hasta mañana.

Secretaria:...señor Arcas.

d) **Usted ahora tiene que recordar a una compañera todo lo que tiene que hacer hoy, como en el ejemplo:**

Ejemplo: *Acuérdate de llamar al Servicio de Limpiezas*
Llama al Servicio de Limpiezas
Que llames al Servicio de Limpiezas

1. Felicitar al jefe por su cumpleaños.
2. Comprobar las facturas pendientes.
3. Dejar los informes sobre la mesa.
4. Ir al médico de la empresa antes de las 10.
5. No fumar.
6. No poner azúcar en el café del jefe.
7. Leer las instrucciones de la nueva fotocopiadora.
8. No llamar tanto por teléfono.

4. *Y para terminar*

a) **Con estos datos que le ha dictado su jefe para la oficina de Sevilla, redacte un fax y envíelo, por favor:**

Reunión de agentes de ventas

Asunto: Campaña'93

Lugar: Hotel Luz/Sevilla
Salón Marismas

Fecha: 21/6/92

Hora: 09,00

¡OJO!
Recordar imprenta.
Carpetas y folletos.

b) **Esta conversación la ha oído en el ascensor contada por alguien. Escríbala en forma de diálogo.**

«Entonces yo le contesté que eso no podía ser. Y cuando él me pidió que le explicase mis razones, yo no supe qué decirle. Simplemente, creía —le dije— que tenía derecho a un aumento de sueldo porque llevaba ya más de un año en la empresa y, además, que muchos días me quedaba a trabajar hasta las ocho de la noche. Entonces, él me contestó que lo pensaría y se lo comentaría al Jefe de Personal...»

AMSTERDAM 10/06/91

ATN: TIME SHARING SR. VALERA

DEBIDO A FALLECIMIENTO DE UN FAMILIAR LAMENTAMOS ANULAR REUNIÓN 13-14 JUNIO CONTRATO MULTIPROPIEDAD. SIGUE CARTA.

SALUDOS. JOHNSON

Amsterdam, 10 de junio de 1991

Sr. Valera
TIME SHARING, S.A.
Acacias, 43
Marbella (Málaga)

Estimado amigo:

Como le comunicábamos en nuestro télex con fecha de hoy, debido al fallecimiento de la madre de Jan Van Eyck, uno de nuestros socios, nos hemos visto obligados a anular de momento la reunión que teníamos previsto celebrar los días 13 y 14 del mes en curso, con el fin de ultimar las negociaciones sobre su oferta de treinta apartamentos, en régimen de multipropiedad, en la Costa del Sol.

Le rogamos nos disculpe y nos sugiera otras fechas para celebrar una reunión. Por nuestra parte, podemos trasladarnos a Marbella la semana del 17 al 23 de julio y, preferentemente, después del día 19, ya que está anunciada una huelga de líneas aéreas para los días 17 y 18.

A la espera de sus noticias, le saluda atentamente.

Peter Johnson
Consultant

1. *Para leer y comprender*

a) *Localice en el texto de la carta la información necesaria para completar el texto del télex.*

b) *Tome notas para contestar:*

1. Fecha prevista de la reunión
2. Tipo de reunión
3. Tema de la reunión
4. ¿Con cuánta antelación se anula la reunión?
5. ¿Qué razones o justificación se dan para la anulación?
6. ¿Se sugieren otras fechas?

c) *Tome nota de las expresiones que se utilizan en el télex y en la carta para anular reuniones, justificar la anulación y hacer sugerencias.*

d) *Diga de otra manera:*

— con fecha de hoy
— nos vemos obligados
— de momento
— fallecimiento
— tener previsto

— mes en curso
— ultimar negociaciones
— en régimen de multipropiedad
— por nuestra parte
— huelga de líneas aéreas

2. *Para hablar*

a) *Por parejas: lean el texto de la carta y el del télex, y comenten las diferencias.*

b) *El jefe está de viaje y la secretaria tiene que comunicarle por teléfono que acaba de recibir una carta anulando la reunión. Preparen, por parejas, la conversación para reproducirla oralmente.*

c) *Por parejas: preparen la contestación a la carta del Ejercicio 1, para que un alumno se la dicte a otro.*

d) *Han surgido problemas y tiene que anular los compromisos de la columna A. En la columna B encontrará algunas fórmulas:*

A	B
— cenar con un compañero de trabajo	— no puedo acompañarte
— anular una cita con dos horas de antela-ción	— lamento tener que comuni-carle
— una entrevista para un nuevo empleo	— me resulta imposible
— acompañar a una persona al dentista	— siento tener que decirle
— funeral por el padre de una compañera	— como ya le expliqué por telé-fono
— trabajar un fin de semana	— me será imposible
— terminar de mecanografiar veinte cartas	— lamentablemente tengo que
	— le ruego disculpe
	— nos vemos obligados a
	— debido a causas ajenas a nues-tra voluntad

3. *Para practicar*

a) *Termine estas frases, por escrito:*

1. Debido a la huelga de transportes ....

2. Por causas ajenas a nuestra voluntad ....

3. Tenemos que anular las reservas del hotel, ya que ....

4. No enviamos el fax porque ....

5. A causa de ....

b) *Trate de descifrar este télex:*

DESRGÓMEZASRAJEREZ

ASUNTOVIAJESDEINCENTIVO

DEACUERDOCONLACONVERSACIÓNMANTENIDAPORTELÉFONO-
ELPASADOVEINTELEENVIAMOSDÍPTICOINFORMATIVOSOBRE-
PROGRAMASESPECIALESLEROGAMOSNOSCOMUNIQUEPOSIBLE-
FECHADEREUNIÓNSALUDOS

PROVIAJES

c) ***Esta mañana había tres mensajes en el contestador automático. Tome nota y redacte un fax para enviárselo a su jefe, que está en la oficina de Sevilla.***

1. Señor Muñoz: le ruego acepte mis disculpas, pero me resulta imposible aceptar su invitación para cenar el próximo día 28. Estaremos en contacto. Un saludo. Montero, de Valencia.

2. El mensaje es para el señor Muñoz, de la secretaria de la señora Guardiola, de **Intermex.** Lamenta comunicarle que no podrá estar en Madrid en la fecha prevista. La entrevista deberá posponerse tres días. Un saludo.

3. Mensaje para el señor Muñoz de parte de Litografías del Sur. Le rogamos nos telefonee lo antes posible en relación con el material que nos encargó. Soy Lázaro Cortés.

d) ***Escriba una pequeña nota para acordarse de todo lo que va a hacer este próximo fin de semana.***

e) ***Su jefe le ha pedido que envíe un télex para dar el pésame al señor Van Eyck por el fallecimiento de su madre. Elija entre las siguientes fórmulas:***

— Lamento/lamentamos sinceramente la noticia del fallecimiento de
— Mi/nuestro más sentido pésame por el fallecimiento
— Le ruego reciba mi/nuestro más sentido pésame
— Deseo/deseamos manifestarle mi/nuestra sincera condolencia en momentos de tan hondo dolor
— Reciba mi/nuestro pésame, extensivo también a su familia

4. *Y para terminar*

a) ***Hoy es viernes y sería conveniente que comprobase en su agenda lo que tiene pendiente para la semana próxima. Revise también los cajones de su mesa, por si tiene algún documento perdido o sin archivar. Anote después los asuntos pendientes.***

25 viernes septiembre

268/98

8
9   CONFIRMAR SEÑOR LEÓN
   ✳ Llamar Pisa
10   — Recordar señor A. Almuerzo lunes
11   LLAMAR AGENCIA DE VIAJES   BILLETES TREN MR
12   ● TELEFÓNICA (L.2)
   → Factura flores.
13   ANULAR reunión del 7 al 12.
   ARCHIVAR CARTAS CAJÓN SUPERIOR
14   ¡¡¡ TELÉFONO DE MERCHE !!!
15   — Carpetas.
   FAX SEVILLA
16   — Material de oficina
   — Buscapersonas
17   — Escrituras → LLAMAR AL NOTARIO
18   — Café / té / galletas.   CUMPLEAÑOS DE JAVIER O.
19

b) **Prepare una nota con las instrucciones para manejar el fax:**

PANEL DE MANDOS

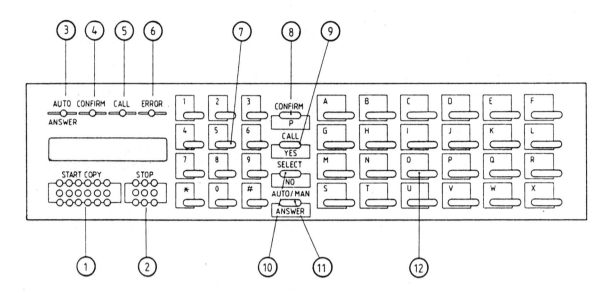

PANTALLA DE CRISTAL LÍQUIDO

El equipo cuenta con un panel de mandos con pantalla de cristal líquido (LCD) capaz de visualizar 32 caracteres alfanuméricos (16 cifras x 2 líneas). Esta pantalla proveerá información útil y servirá de guía para el operador. Cuando no se está realizando ninguna operación, se visualiza la fecha y la hora. Esto quiere decir que el equipo está en la modalidad de reserva.

> **Sistema listo 12 Oct. 92 10:15**

TECLAS DE FUNCIONES OPERATIVAS Y LÁMPARAS

TECLA	FUNCIÓN
7 Teclado numérico	Pulse estas teclas para hacer una llamada telefónica o para registrar un número telefónico.
12 Teclas de una pulsación	Pulse estas teclas para transmisiones de una pulsación. Las teclas **a, b, g** y **h** se emplean para entrar la identificación del lugar.
11 Auto/Man Answer	Pulse esta tecla para seleccionar recepción automática o manual.
10 Select/no	Pulse esta tecla para cambiar la modalidad de transmisión o para seleccionar funciones.
9 Select/yes	Pulse esta tecla para seleccionar funciones o reservar comunicaciones verbales.
8 Confirm/P	Pulse esta tecla para tener acceso a las modalidades del programa o para recibir informe de confirmación después de efectuar una transmisión por telefax.
2 Stop	Pulse esta tecla para parar una función u operación.
1 Start/Copy	Pulse esta tecla para comenzar la transmisión, la recepción o para copiar un documento.

LÁMPARA	FUNCIÓN
3 Auto Answer	Se emplea para indicar recepción automática.
4 Confirm	Se emplea para indicar que se imprimirá un informe de confirmación después de la transmisión.
5 Call	Se emplea para indicar que se ha reservado una conversación verbal durante la transmisión por telefax.
6 Error	Se emplea para indicar que ha habido un error.

5

Por teléfono

SOLICITAR Y DAR INFORMACIÓN DETALLADA

Telefonista:	AE, ¿dígame?
Secretaria:	Buenas tardes. Se trata del seminario que ofrecen ustedes. ¿Podría proporcionarme algunos detalles?
Telefonista:	Un instante. La paso con la persona que lo lleva. No se retire, por favor.
AE:	Sí. Buenas tardes. Soy Paloma Garrigues.
Secretaria:	Encantada. Mire, hemos recibido el folleto del seminario y desearía aclarar una serie de puntos.
AE:	Dígame, por favor.
Secretaria:	La fecha es el 25 de junio...
AE:	Exactamente. En Madrid.
Secretaria:	¿Y el lugar de celebración?
AE:	En el Hotel Meliá, Salón Madrid. Y en Barcelona, el día 28.
Secretaria:	De acuerdo. ¿Podría decirme la cuota de inscripción?
AE:	Son 50.000 pesetas por persona, incluidos los cafés y los almuerzos de trabajo.
Secretaria:	Muy bien. Y en cuanto a los conferenciantes...
AE:	Por la mañana, los ponentes son Karl Rother...
Secretaria:	Perdón. ¿Me lo deletrea?
AE:	K-A-R-L R-O-T-H-E-R, de Alemania, y James Burns, del Reino Unido. Ambos son expertos consultores de empresas.

SEMINARIO
«La Dirección por Objetivos»
25 de junio

9,00: Recepción y entrega de documentación.
9,15: Apertura y presentación.
9,30: Las claves para lograr el éxito empresarial: planes de formación, sistema de gestión y evaluación.
10,30: Estrategia y planificación de logros.
- Análisis de los valores propios de cada empresa.
- Estilos de liderazgo.

11,30: Café.
12,00: Herramientas que se deben aplicar: orientación empresarial.
13,00: Coloquio.
14,00: Almuerzo de trabajo.
15,30: Procesos aplicados a una organización (I).
16,30: Procesos aplicados a una organización (II).
17,30: Café.
18,00: Mesa redonda y coloquio.
19,00: Clausura.

Secretaria: ¿Las conferencias son en español?

AE: Por la tarde, sí. Por la mañana, en alemán y en inglés, pero hay traducción simultánea. ¿Prefiere que le remita esta información complementaria?

Secretaria: Pues... se lo agradecería.

AE: ¿Tienen ustedes fax?

Secretaria: Sí. Tome nota, por favor. 568 19 19.

AE: De Madrid, ¿verdad?

Secretaria: Sí, sí.

AE: Ahora mismo se lo envío.

Secretaria: Muchas gracias.

1. Para leer y comprender

a) Anote todas las fórmulas de saludo, de presentación y de despedida, así como aquellas que recuerde y que tengan la misma función.

b) Tome nota de todas las expresiones utilizadas en el diálogo para solicitar, dar y ampliar información, así como las que se emplean para explicar la finalidad de la llamada.

c) Dé su propia explicación de estas expresiones:

1. información complementaria
2. no se retire, por favor
3. desearía aclarar una serie de puntos
4. lugar de celebración
5. cuota de inscripción
6. cafés y almuerzo de trabajo incluidos
7. ponentes
8. traducción simultánea

d) **Lea cuidadosamente el programa del seminario y separe los aspectos de organización del mismo exclusivamente profesionales de los sociales.**

2. *Para hablar*

a) **De acuerdo con el programa del seminario, responda Verdadero o Falso, dando explicaciones:**

1. El tema del seminario es «La Dirección por Objetivos».
2. Este seminario va a tratar sobre las estrategias más adecuadas para lograr la fusión de empresas.
3. El seminario dura tres días.
4. Uno de los objetivos que apunta es proporcionar las claves para lograr el éxito empresarial.
5. El seminario comienza muy temprano por la mañana, y termina después de comer.

b) **Por parejas: formulen preguntas sobre la hora en que se debatirán los distintos aspectos y temas del seminario. Utilizando: ¿A qué hora...? ¿De qué hora a qué hora...? ¿Cuándo...? ¿De qué se trata a las...?**

c) **Por parejas: una de ustedes está interesada en hacer un curso de perfeccionamiento en una prestigiosa escuela de secretarias. Preparen la conversación, pidiendo información sobre:**

— duración de los estudios y horarios
— requisitos exigidos para la admisión (edad, nivel de estudios, dominio de idiomas, etc.)
— precio de la matrícula y de las mensualidades
— módulos de interés en particular (mecanografía, taquigrafía internacional, dictáfono, tratamiento de textos Word Perfect/Lottus, etc.)

d) **Por parejas: uno de ustedes trabaja en esta empresa y va a tener que dar información por teléfono sobre este curso. Lean cuidadosamente el anuncio y preparen las posibles preguntas y respuestas. A continuación, ensayen la conversación telefónica; también la pueden grabar.**

3. Para practicar

a) **Escriba las posibles fórmulas para solicitar y dar información:**

1. Usted quiere hacer una llamada internacional y no sabe el prefijo del país y de la ciudad a la que desea llamar.
2. Le han preguntado: ¿Cuál es el horario laboral de su empresa?
3. Usted contesta el teléfono y alguien le dice: Buenos días. Me llamo Ramón Ochotorena Baigorri.
4. Usted quiere saber el horario de visitas de una empresa.
5. Alguien le dice: ¿Sería tan amable de decirme su número de fax?
6. Alguien le pregunta: ¿Quién es el Director Comercial de su empresa? Perdone. ¿Podría deletrearlo?

b) **Escriba todas las formas posibles de estas palabras, haciendo los cambios de género y número necesarios.**

Ejemplo: *el telegrama/los telegramas.*

— programa
— presentaciones
— análisis
— liderazgo
— valor

— serie de puntos
— cafés
— ponente
— alemán/inglés
— fax

c) **Transforme las frases siguientes, cambiando el género masculino por el femenino:**

1. Quiero saber la duración de los cursos para matricular a mi hijo.
2. El Jefe de Contabilidad llamó para decir que se encontraba enfermo.
3. El padre de tu amigo ya no trabaja en esta empresa.
4. El secretario del Director nos anunció su próxima despedida.
5. Hoy se incorporará el señor García, el nuevo Gerente. Nos han dicho que es bastante joven, alto y moreno.
6. Mi compañero de oficina es el hombre más trabajador que existe.

d) **Escriba los antónimos de las siguientes palabras.**

1. llegar
2. siguiente
3. decir
4. llamar
5. trabajo
6. saber
7. salir
8. nada
9. ir
10. correcto
11. recibir
12. comienzo

e) **A continuación, escriba todas las órdenes que se le ocurran.**

Ejemplo: *Ha llegado tarde: Llegue más temprano, por favor.*
No llegue tan tarde.
Venga antes.

1. Han salido muy tarde
2. Hemos llamado de madrugada
3. He trabajado veinte horas seguidas
4. Has comenzado mal
5. Ha dicho una mentira

4. *Y para terminar*

a) **El señor Martínez llama por teléfono a la empresa Informática de Gestión, S. A. Ordene correctamente la conversación telefónica que figura a continuación y decida a cuál de los dos interlocutores corresponde cada intervención.**

1. De nada. Adiós.
2. Buenos días. ¿Podría hablar con el señor Fernández, por favor?
3. ¿Después de las doce? Gracias. Volveré a llamar.
4. Informática de Gestión. Buenos días.
5. Es... don Antonio Fernández, que trabaja en el departamento de contabilidad.
6. ¿Sabe usted cuándo volverá?
7. ¿Usted quiere hablar con don Javier Fernández o con don Antonio Fernández?
8. Lo siento, pero en este momento está ausente. Si quiere dejar algún recado...
9. No, gracias.
10. Regresará probablemente a media mañana.

b) **Deletree estos nombres y apellidos, utilizando el alfabeto telefónico en español:**

Miguel de Cervantes Saavedra
Don Quijote
Sancho Panza
Calderón de la Barca
Lope de Vega
Federico García Lorca
Camilo José Cela
Montserrat Caballé
Plácido Domingo
José Carreras
Alfredo Kraus
Teresa Berganza
Nicanor Zabaleta
Julio Iglesias

A: Antonio	N: Navarra
B: Barcelona	Ñ: Ñando
C: Carmen	O: Oviedo
D: Domingo	P: París
E: España	Q: Queso
F: Francia	R: Roma
G: Gerona	S: Sevilla
H: Historia	T: Toledo
I: Italia	U: Úrsula
J: José	V: Valencia
K: Kilo	W: Washington
L: Lérida	X: Xilofón
Ll: Llave	Y: Yegua
M: Madrid	Z: Zaragoza

Telefonista: Iberia Travel. Buenos días.

Lucía: Hola. ¿Me pones con reservas aéreas?

Telefonista: Te paso.

María: Reservas, buenos días. ¿Quién eres?

Lucía: ¿No me conoces? Soy Lucía, de Hispana, S. A.

María: Hola, Lucía. ¿Qué quieres?

Lucía: Pues... varias reservas, de avión, de coche-cama y de hoteles. ¿Te lo pido a ti todo?

María: Casi mejor. Espera que te abro una ficha. ¿Es para la misma persona?

Lucía: No. Son cuatro personas. ¿Te voy diciendo?

María: Sí, por favor.

Lucía: Necesito un vuelo por la mañana, ida y vuelta, Barcelona-Londres, en primera. La ida para el día 30 de septiembre y la vuelta el 3 de octubre, a nombre de Jorge Rebull, y una habitación individual en el Hotel Selfridges para esas noches.

María: ¿Has dicho Rebull?

Lucía: Sí, con b y ll.

María: Te confirmo IB-626 a las 8,30, para el día 30 de septiembre y el regreso... ¿por la mañana o por la tarde?

Lucía: A primera hora de la tarde, si puede ser.

María: De acuerdo, IB-1580, a las 15,25. El hotel te lo confirmo mañana.

Lucía: Ahora, un coche-cama doble para la noche del 25 de septiembre a La Coruña, a nombre de Barreiros y Dorrego, y un coche-cama individual para la noche del 29, a nombre del último.

María: ¿Torrego?

Lucía: No. Dorrego, con D de Domingo.

María: ¿Quieres hotel en La Coruña?

Lucía: Sí. Una individual, a nombre de Barreiros, en el Hotel Atlántico, y del 26 al 28.

María: Te lo confirmo todo a lo largo de la mañana y te lo mando mañana. ¿Pagan directamente o con bono?

Lucía: Con bono y nos lo cargas en cuenta.

Oye, se me olvidaba... y para mí. Necesito un billete Madrid-Barcelona-Madrid, abierto. Un puente aéreo.

María: Lucía Guerra, ¿no?

Lucía: Eso es. Lo pago yo. Gracias.

1. Para leer y comprender

a) Elija la opción correcta:

1. ¿Me pones con:
   - a) reservas?
   - b) reservas de vuelos?
   - c) reservas aéreas?

2. Lucía pide reservas de:
   - a) vuelos y tren.
   - b) vuelos internacionales.
   - c) vuelos nacionales e internacionales.

3. En total, reserva:
   - a) dos vuelos, un coche cama y hoteles.
   - b) dos vuelos de ida y vuelta.
   - c) varios servicios.

4.
   - a) ¿Te lo pido a ti todo?
   - b) ¿Todo te lo pido a ti?
   - c) ¿Pídote a ti todo?

5. La empresa paga:
   - a) todas las reservas.
   - b) directamente.
   - c) todas, menos un billete nacional.

b) Tome nota de las expresiones que se utilizan en el proceso de hacer reservas.

c) Tome nota de todas las expresiones relacionadas con:

— transporte por vía aérea
— transporte por vía terrestre
— servicios de hoteles
— horarios y división de tiempo
— servicios a las empresas

d) Explique estas expresiones e indique en qué situaciones las utilizaría:

— ¿Me pones con reservas?
— ¿No me conoces?
— ¿Es para la misma persona?
— Ida y vuelta
— Sí, con hache y dos erres
— Te confirmo la ida y la doble
— A primera hora de la tarde (en España)
— Manda los billetes y el bono, y lo cargas en cuenta

2. Para hablar

a) Por parejas: reproduzcan el diálogo del Apartado 1, utilizando estos datos: Señor y señora Goicoechea.

— de San Juan de Puerto Rico a Francfort/dos noches de hotel

— de Francfort a Madrid (donde tienen que estar desde el día 23 al 30 de abril)/Reserva de hotel cuatro estrellas

— de Madrid a San Sebastián, por la noche

— pagarán directamente con tarjeta de crédito

Passenger Services

Validez Validity	Días Days	Salida Departure	Vuelo Flight	Llegada Arrival	Vía Via	Salida Departure	Vuelo Flight	Llegada Arrival	Servicio Service

De/From **SAN JUAN DE PUERTO RICO**
A/To **FRANCFORT/FRANKFURT**

28 Dic-01 Ene	2	23.25	IB914	11.55	MAD	13.10	LH1909	15.40FFa1	PCYMK/FCMTK
02 Ene-	2	23.25	IB914	11.55	MAD	13.10	LH1909	15.40FFa1	PCYMK/FCMTK
	2	23.25	IB914	11.55	MAD	16.40	IB514	19.15FFa1	PCYMK/CMK

De/From **FRANCFORT/FRANKFURT**
A/To **MADRID**   **MAD**

	—26 Dic.	1234567	09.35			LH1906		12.05	310/FCMTK
27 Dic	—02 Ene.	345 7	09.35			LH1906		12.05	727/FCMTK
27 Dic	—02 Ene.	12 6	09.35			LH1906		12.05	310/FCMTK
03 Ene		1234567	09.35			LH1906		12.05	310/FCMTK
		1234567	12.55			IB511		15.25	72S/CMK
		12 4567	20.25			IB515		22.55	72S/CMK
		3	20.25			IB515		22.55	D9S/CMK
	—31 Dic.	1 6	20.25			IB515		22.55	72S/CMK
	—31 Dic.	2345 7	20.25			IB515		22.55	D9S/CMK

b) El señor Letamendía va a asistir a la I Semana Industrial y Tecnológica que se celebrará en Barcelona del 8 al 11 de mayo, y ha encargado a su secretaria que le haga la reserva de habitación en el Hotel Plaza.

Por parejas: preparen la conversación entre la secretaria y la recepción del hotel.

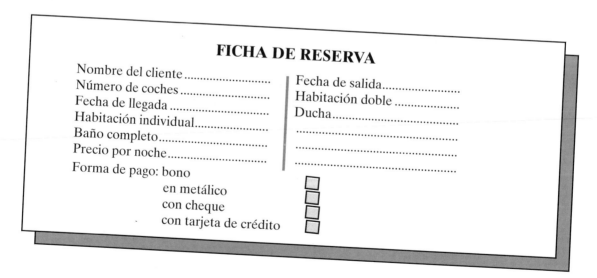

FICHA DE RESERVA

Nombre del cliente ....

Número de coches ....

Fecha de llegada ....

Habitación individual ....

Baño completo ....

Precio por noche ....

Forma de pago: bono

          en metálico ☐

          con cheque ☐

          con tarjeta de crédito ☐

Fecha de salida ....

Habitación doble ....

Ducha ....

c) Una delegación de una empresa filial de la suya, con sede en Tokio, está realizando estos días una visita a la sede de Madrid. Su jefe le ha encargado que organice una comida en un restaurante (doce personas en total) y que reserve localidades para un espectáculo típico. Además, se han enterado de que hoy es el cumpleaños de uno de los delegados japoneses y quieren prepararle una sorpresa.

Por parejas o en grupos: determinen el horario, el menú y el espectáculo más adecuado, y expongan algunas ideas para felicitar al delegado que cumple años. A continuación, hagan la reserva del restaurante y de las localidades.

3.   *Para practicar*

a)   **Vuelva a escribir, en tono formal, todas las frases del diálogo de la presentación que expresen familiaridad.**

Ejemplo: *¿Me pones con reservas? ¿Me pone con reservas, por favor?*

b)   **Conteste por escrito, afirmativa y negativamente, a las siguientes preguntas:**

1.   ¿Me pone con información, por favor?
2.   ¿Lo has reconocido?
3.   ¿Te abro la puerta?
4.   ¿Para cuándo nos hará la reserva?
5.   ¿Se le ha olvidado la hora?
6.   ¿Te dieron los nombres de los pasajeros?

c)   **Complete con la preposición conveniente:**

1.   La duración del vuelo .... Madrid .... Viena es .... dos horas y cincuenta minutos.
2.   Hay tres vuelos, dos .... la mañana y uno .... la noche.
3.   Necesito hacer una reserva .... hotel .... la noche del siete .... ocho............ este mes.
4.   Tengo una habitación .... el Hotel Ritz .... ti.
5.   Llámeme .... primera hora .... la mañana, ... favor.
6.   ¿............ nombre .... quién?

d)   **Señale en la columna B los términos equivalentes a los de la columna A:**

A		**B**	
1.	pasaje de avión	a)	por la noche
2.	por vía marítima	b)	pasajeros
3.	vuelo	c)	voucher
4.	por tierra	d)	billete
5.	viajeros	e)	abonar la cuenta en el hotel
6.	bono	f)	por mar
7.	pagar directamente	g)	vuelo sin reserva
8.	nocturno	h)	una individual
9.	habitación doble de uso individual	i)	terrestre
10.	billete abierto	j)	viaje en avión

e)   **Escriba una carta/fax, confirmando las siguientes reservas:**

   — dos habitaciones individuales (señorita Roncero y señor Jérez)
   — dos dobles (señor y señora Romero y señoras López de Arce)
   — Parador Nacional La Arruzafa. Avenida de la Arruzafa, s/n. Córdoba
   — del 22/7 al 27/7 (full credit)

4.   *Y para terminar*

a)   **En su empresa quieren cambiar los actuales aparatos de teléfonos e instalar este nuevo modelo.**

   Por parejas: preparen la conversación con el Servicio Comercial de Teléfonos, solicitando estos detalles sobre el sistema:

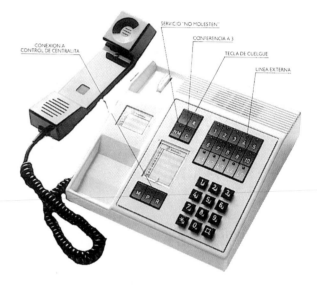

   Preguntas:
      — número de líneas exteriores
      — conexión a centralita
      — conferencia A 3
      — servicio «no molesten»
   Respuestas
      — ocho
      — para transferir llamadas a otro aparato
      — conversaciones simultáneas con otro usuario
      — las llamadas pasan a otra extensión previamente programada

Alrededor de 3.000 pesetas
• **SALVADOR.** Cocina casera de carácter familiar honesta y bien realizada. Magnífica merluza rebozada.

Entre 3.500 y 4.000 pesetas
• **EL MOLINO.** Mesón-asador de perfil tradicional, recomendable por la calidad de sus materias primas y el buen punto de su cordero. Conde de Serrallo, 1. Teléfono 571 24 09.
• **NICOLÁS.** Restaurante joven, con espíritu de *bistrot*. Buenos platos de pasta, pescados y estofados.
• **LUARQUÉS.** Santuario de la cocina asturiana tradicional. Magníficos el cocido, la fabada y el pote.

Entre 4.500 y 6.000 pesetas
• **VIRIDIANA.** Vulgar por su apariencia y sorprendente por la originalidad de su cocina. Creaciones atractivas y muy gustosas.
• **EL OLIVO.** Toda su carta bulle en torno al ámbito del aceite de oliva. Platos modernos planteados como un homenaje a la grasa mediterránea. General Gallegos, 1. Teléfono 259 15 35.
• **ARMSTRONG'S.** Carta de perfil anglonorteamericano, con recetas típicas de *pubs* ingleses y restaurantes neoyorquinos clásicos.

A partir de 6.000 pesetas
• **BELAGUA.** Se refugia en un palacete de finales del XIX. Cocina moderna de base vasco-navarra bien realizada. Palacio de Santo Mauro, calle Zurbano, 36. Teléfono 319 69 00.
• **O'PAZO.** Un lugar privilegiado para los devotos de la calidad sin artificios. Pescados y mariscos de lujo tratados con recetas muy sencillas.

b)   **Su jefe le ha pedido que seleccione un restaurante de lujo para llevar a unos clientes a cenar, y otro restaurante para un almuerzo de trabajo con los seis directores regionales.**

   Escriba una nota para su jefe con las características de los dos restaurantes que sugiere usted.

IV CONVENCIÓN NACIONAL DE LABORATORIOS MIPA

Primera llamada:

Secretaria:	Con Navarro, por favor. Soy Teresa.
Navarro:	Teresa, ¿qué hay?
Secretaria:	Hola, José María. Estoy un poco preocupada con todo ese lío de la convención y quiero reconfirmarlo todo.
Navarro:	Va a salir todo perfectamente, mujer... No te preocupes. Anda, dime.
Secretaria:	De Zaragoza, vienen cuatro, ¿no?
Navarro:	Sí. Federico Pérez, Marta Saavedra, Lorenzo Valero y... ¡Ah, sí! y Pedro Bernal. Cuatro individuales en el Eurohotel.
Secretaria:	Vienen en coche, ¿verdad? No les hemos reservado transporte.
Navarro:	Eso es. Irán en coche los cuatro y llegarán después de comer, el día 10.
Secretaria:	Pues nada más. Gracias, José María.

Segunda llamada:

Secretaria:	¿Julia? Hola, soy Teresa.
Julia:	Te estaba llamando por la otra línea...
Secretaria:	¿Qué pasa? No me asustes.
Julia:	Nada, mujer. Es un cambio. El señor Llurba llegará el día 11 en el vuelo IB 739 de las 8,15, en vez del día 10 por la tarde, y necesita un coche en el aeropuerto de Barajas. Se lo reservas tú, ¿verdad?
Secretaria:	Sí. Yo me encargo. ¿Qué coche quiere?
Julia:	Un R-21 o un Opel. Lo quiere para los tres días de la convención y lo entregará en Barcelona.
Secretaria:	¿Nada más?
Julia:	Otra cosa... Anula el billete de ida y vuelta del señor Llurba y los de Pepe Lozano y Jorge Martorell, porque se vuelven los tres en coche.
Secretaria:	¡Vaya lío!
Julia:	¡Paciencia! No te pongas nerviosa.

Tercera llamada:

Secretaria:	¿Eurohotel?
Recepcionista:	Sí. Dígame.
Secretaria:	¿Me pone con el señor Escudero, de Convenciones...?
Recepcionista:	En seguida.
Escudero:	Al aparato.

Secretaria: Escudero... Soy Teresa, de **Mipa**.

Escudero: ¿Algún cambio de última hora?

Secretaria: No, sólo mis nervios... y una última comprobación.

Escudero: De acuerdo. Tú me dirás.

Secretaria: 28 dobles, 12 individuales, entrada el día 10 y salida el 14.

Escudero: Eso es. El Salón Embajadas para los días 11, 12 y 13...

Secretaria: Con megafonía y aparatos audiovisuales, y el Saloncito Topacio para la tarde del 12. Luego... las flores...

Escudero: Flores en todas las habitaciones dobles y cestillos con frutas en las del señor Suárez y Ballesteros. El menú número 2 para la cena del día 13, cambiando los vinos.

Secretaria: Perfecto. Gracias.

1. *Para leer y comprender*

a) ***Tome nota de las expresiones utilizadas para hacer:***

— comprobaciones
— cambios
— anulaciones

b) ***Anote las expresiones que se utilizan para:***

— tranquilizar a alguien
— confirmar datos

c) ***Complete este cuadro:***

LLAMADAS	PRIMERA	SEGUNDA	TERCERA
Nombre de la persona que llama..............			
Nombre de la persona que recibe la llamada			
Población a la que se llama..............			
Población desde la que se llama..............			
Objeto de la llamada..............			
Resultado de la llamada..............			

d) ***Más detalladamente:***

	Nº DE PERSONAS	NOMBRE	TRANSPORTE	DÍA DE LLEGADA
De Zaragoza vienen..................				
De Barcelona cambia..................				
De Barcelona anulan..................				
En total..................				
Otros aspectos de la organización:				

e) Explique cuándo utilizaría:

— convención
— estoy preocupado/no te preocupes
— ¿verdad? ¿no?
— con todo este lío...
— no me asustes

— yo me encargo
— ¿nada más?
— paciencia...
— megafonía
— cestillos con frutas

2. Para hablar

a) Resuma oralmente todo lo que sabe de esta convención (tipo de empresa, lugar, número de asistentes, duración, otros detalles).

b) Por parejas: haga preguntas a su compañero, utilizando las fórmulas que ha aprendido para confirmar una opinión.

Ejemplo: *Teresa está preocupada, ¿no?*
De Zaragoza vienen cuatro personas, ¿verdad?

c) Por parejas: preparen la conversación telefónica pidiendo información detallada para alquilar un coche, siguiendo estas instrucciones:

— tipo de coche
— precio/seguro/gasolina/asistencia
— forma de pago
— entrega y recogida

INFORMACION GENERAL

SEGUROS: LAS TARIFAS incluyen seguro de Responsabilidad Civil, por cantidad ilimitada, fianza y defensa jurídica en España, así como daños a terceros y una cobertura contra daños al vehículo por fuego o robo.

La responsabilidad del arrendatario por daños a los vehículos puede eximirse mediante el pago de un cargo adicional, según el grupo al que pertenezcan.

GRUPO	RESPONSABILIDAD	DIA
Z, A, B	180.000	980
C, D, E	200.000	1.200
F, G, H	270.000	1.650
J, N, P, S	320.000	2.100
K, M	380.000	2.300

Un seguro de daños personales para el conductor del vehículo, así como para todos sus ocupantes, puede adquirirse mediante el pago adicional de 350 Ptas. por día.

ASISTENCIA EUROPCAR: El acuerdo de EUROPCAR con ADA le permite tener asistencia técnica las 24 horas del día y ofrece interesantes ventajas para el conductor y los ocupantes del vehículo. Para más información, consulte a nuestros empleados, o solicite el folleto explicativo en cualquiera de nuestras oficinas.

ACEITE Y ENGRASE: Todos los gastos de aceite y engrase serán reembolsados contra los recibos presentados a la finalización del alquiler.

GASOLINA: A cargo del cliente.

PERMISO DE CONDUCIR: El arrendatario deberá estar en posesión de su permiso de conducir, al menos con un año de antigüedad, y haber cumplido los 21 años de edad.

IMPUESTOS: Todos los cargos están sujetos al impuesto correspondiente: Península (12%), Baleares (12%), Canarias (4%), Gibraltar 0% de impuestos.

MULTAS DE TRAFICO: Todas las infracciones serán pagadas por el cliente.

FACILIDADES DE PAGO: Si así lo desea, puede cargar el importe de los servicios de alquiler de automóviles a través de las tarjetas de crédito siguientes: EUROPCAR, NATIONAL, TILDEN, INTER-RENT, NIPPON, AMERICAN EXPRESS, VISA, CLUB DES 2000, AIR FRANCE, DINER'S CLUB, EUROCARD, ACCESS, AIR FRANCE SERVICE PLUS, MASTER CHARGE, BANKAMERICARD, UNICUENTA, CARTE BLANCHE, AIRPLUS.

ENTREGAS Y RECOGIDAS: Los vehículos EUROPCAR, serán entregados o recogidos GRATUITAMENTE dentro de los límites de la ciudad desde las 08:00 hasta las 20:00. Las entregas y recogidas fuera de dicho horario se cargarán con el suplemento de 2.000 pesetas. Los vehículos entregados o recogidos en ciudades o lugares donde no exista oficina Europcar, estarán sujetos a un cargo de 70 pesetas, por Km., con un mínimo de 4.000 ptas., para los grupos: Z, A, B, C, D, E, F, G y H; y de 180 pesetas por Km., con un mínimo de 5.000 ptas., para los grupos: J, K, P, M, N y S.

HORA EXTRA: 1/3 del precio por día.

Grupo / Group	TIPO DE COCHE / TYPE OF CAR	Nº de Puertas / Nº Doors	Radio	Dirección Asistida / Power Steering	Aire Acondicionado / Air Conditioned	Techo Abierto / Sun Roof	Por Día 1-3 / Per Day 1-3	Por Día 4-6 / Per Day 4-6	Por Día 7 o más / Per Day 7 or more
Z	Seat Marbella	3					2.725	2.325	2.200
A	Opel Corsa / Renault 5	3 / 3					3.100	2.800	2.600
B	Ford Fiesta / VW. Polo / Citroen AX / Seat Ibiza	3 / 3 / 3 / 3					3.500	3.200	2.900
C	Opel Kadett 1.3 / Ford Escort / Opel Corsa TR / Seat Ibiza	4 / 4 / 4 / 4	• / • / • / •				4.750	4.500	4.100
D	Renault 19 1.4	4					5.600	5.200	4.900
F	Kadett 1.6 / Ford Orion / Mitsubishi Lancer	4 / 4 / 4	• / • / •	• / • / •	• / • / •		6.600	6.300	6.000
H	Opel Ascona / Mitsubishi Galant / Opel Vectra	4 / 4 / 4	• / • / •	• / • / •	• / • / •	• / • / •	8.000	7.600	7.200
J	Audi 100 / Omega 2.0	4 / 4	• / •	• / •	• / •		10.000	9.600	9.200
K	Opel Omega Aut. / Mercedes 190 Aut. / BMW 325	4 / 4 / 4	• / • / •	• / • / •	• / • / •		13.500	13.000	12.500
M	Mercedes 230	4	•		•		20.000	18.000	16.000

Kilometraje ilimitado / Unlimited mileage

d) *En grupos: les han encargado que organicen un congreso. Tras elegir la ciudad y el hotel, deberán decidir el tema del congreso y distribuirse las tareas de la organización: contratar la megafonía, las azafatas, los servicios del hotel, los actos sociales, etc.*

3. Para practicar

a) *Termine estas frases:*

1. Aquel señor es su jefe, ¿...?
2. Nos conocemos, ¿...?
3. Necesita ayuda, ¿...?
4. No estás nerviosa, ¿...?
5. Hemos terminado todo, ¿...?
6. No me has entendido, ¿...?

b) *Pida por escrito la confirmación, el cambio o la anulación:*

1. Dos dobles y una triple en el Hotel Veramar. Señores Sebastián, Valenzuela y Domínguez // una doble y dos triples.
2. Llegada de un paquete por servicio exprés para Vitoria.
3. Un coche Seat Marbella en el aeropuerto de Manises (Valencia), vuelo IB 426, a las 16,20, día 2 de mayo, señor Prat.
4. Una docena de rosas rojas. señorita Simón, día 13 de junio. Calle de Guzmán el Bueno, 107.
5. Cena para dos personas (**Mipa S. A.**). Cinco de mayo, 21,30, Restaurante Alta Mar.

c) *Combine estos verbos con los prefijos que le damos, si es posible.*

A continuación, utilícelos para formar frases como la del ejemplo:
Ocupar-preocupar = no te preocupes

Prefijos	Verbos	
Pre-	ocupar	mirar
Re-	confirmar	convenir
Des-	cambiar	venir
De-	anular	reservar
Ante-	comprobar	cargar
Inter-	hacer	querer
	volver	poner

d) *Escriba una carta confirmando o anulando las reservas de habitaciones y los servicios que había hecho la secretaria para la convención de los Laboratorios Mipa.*

e)   *Escriba la contestación de este télex:*

> CONFIRME RESERVA HABITACIÓN INDIVIDUAL HOTEL LU-
> JO NOCHE 20 AGOSTO
>
> SR. ARMAS. PAGARA DIRECTAMENTE. SALUDOS
>
> DÍEZ

4. Y para terminar

a)   **Corrija las faltas de ortografía del menú de la cena
de la convención:**

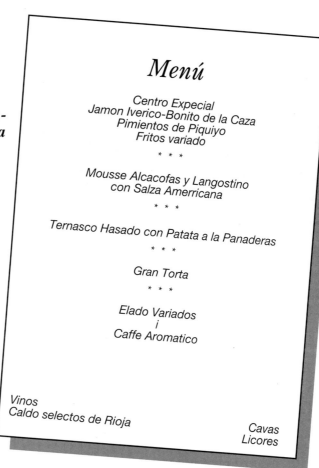

Menú

Centro Expecial
Jamon Iverico-Bonito de la Caza
Pimientos de Piquiyo
Fritos variado

* * *

Mousse Alcacofas y Langostino
con Salza Ammericana

* * *

Ternasco Hasado con Patata a la Panaderas

* * *

Gran Torta

* * *

Elado Variados
i
Caffe Aromatico

Vinos
Caldo selectos de Rioja

Cavas
Licores

b)   *Decida a qué compañía aérea corresponde cada uno de estos vuelos y desde
qué país opera cada una de las compañías.*

OS 254	IBERIA	Holanda
BA 466	AIR FRANCE	Portugal
TP 723	ALITALIA	Alemania
IB 135	BRITISH AIRWAYS	España
KL 364	AUSTRIAN AIRLINES	Francia
LH 1885	SABENA	Italia
AF 1564	TAP Air Portugal	Reino Unido
AZ 367	KLM	Austria
SN 674	LUFTHANSA	Bélgica

6

Atención
a
clientes

A | INDICACIONES E INSTRUCCIONES

Recepcionista:	Hotel Princesa Plaza. Dígame.
Secretaria:	Buenos días. Póngame con el señor Alemany, habitación 707.
Recepcionista:	Le pongo.
Señor Alemany:	¿Dígame?
Secretaria:	Buenos días, señor Alemany. Soy la secretaria del señor Coloma.
Señor Alemany:	Ah, sí... Esperaba su llamada.
Secretaria:	¿Qué tal el viaje?
Señor Alemany:	Muy bien, muy bien. Gracias.
Secretaria:	Le llamaba para confirmarle la entrevista con el señor Coloma.
Señor Alemany:	En su despacho, a las cuatro, ¿no?
Secretaria:	Exactamente. ¿Sabe dónde están nuestras oficinas?
Señor Alemany:	No, pero iré en taxi.
Secretaria:	Son sólo dos paradas de autobús. No vale la pena venir en taxi.
Señor Alemany:	¿Podría indicarme dónde es exactamente?
Secretaria:	¿Tiene usted un plano de Madrid?
Señor Alemany:	Sí, un momentito... Aquí está. Vamos a ver...

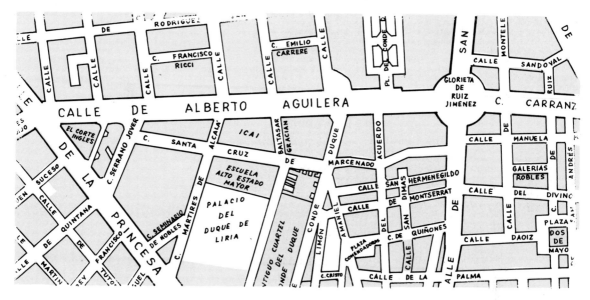

Secretaria:	Localice su hotel, primero.
Señor Alemany:	A ver... Sí. Calle de la Princesa.
Secretaria:	Bien... cuando salga del hotel, siga por la calle de la Princesa y doble por la primera calle a su izquierda. En seguida encontrará la calle de Alberto Aguilera. Ahí puede coger el autobús número 21 y se baja en la segunda parada, muy cerquita de una plaza que se llama glorieta de Ruiz Jiménez. Nosotros estamos en esa glorieta, en el número 10.
Señor Alemany:	Entonces, iré a pie. Muchas gracias, señorita. Es usted muy amable.
Secretaria:	No hay de qué. Hasta luego, señor Alemany.

1. Para leer y comprender

a) Tome notas y conteste:

1. ¿Para qué llama la secretaria al señor Alemany?
2. ¿Dónde y a qué hora será la entrevista?
3. ¿Por qué no vale la pena ir en taxi?
4. ¿Cómo va a trasladarse el señor Alemany a la oficina?
5. ¿Cuántos medios de transporte se mencionan?
6. ¿Cuál es la diferencia entre un plano y un mapa?

b) Tome nota de todas las expresiones que se utilizan para dar o recibir instrucciones.

c) *Complete estas instrucciones con los datos que se le proporcionan, y después póngalas en orden de acuerdo con el diálogo:*

plano • recto • hotel • calle • izquierda • derecha • plaza

1. Salga del .... y tuerza a la ....
2. Localice el ....
3. En primer lugar, despliegue el ....
4. Y siga .... hasta la primera ....
5. Continúe hasta la ....
6. Doble a la ....

d) *Estudie el plano y complete las indicaciones que se ofrecen para llegar al hotel:*

Usted está en la calle de San Bernardo, esquina a Rodríguez San Pedro. ....por la calle de San Bernardo .... la glorieta de Ruiz Jiménez. Después, ... a la derecha. Allí .... el autobús y bájese en la segunda parada. También, puede ir en .... hasta Argüelles.
Al salir del metro, ... por la calle de Alberto Aguilera y .... por la calle de la Princesa hasta su hotel.
Si prefiere ir a pie, desde la glorieta de Ruiz Jiménez, ... recto por la calle de Alberto Aguilera y .... a la izquierda, al llegar a la cuarta calle. Esta calle le llevará .... hasta la calle de la Princesa, y allí, ... a la derecha y encontrará su hotel.

2. Para hablar

a) *En su ausencia, ha llamado un cliente y ha dejado el siguiente mensaje:*

Por parejas: preparen la conversación telefónica para indicar a este cliente cómo llegar a pie desde su hotel hasta su empresa, que está en la calle de Santa María la Blanca, al lado de la iglesia del mismo nombre.

Fecha: *20 de abril*   Hora: *11,00*
Para: *Macarena Conde*
Ha telefoneado: *Sr. Gallimard*
De la firma: *FRANCE DATA*
Ha dicho: *Está en el Hotel Alfonso XIII*
     S. Fernando, 2.   SEVILLA
     Teléfono 522 28 50   Habitación: 842

b) Por parejas: preparen las preguntas y las respuestas, con las oportunas instrucciones, para desplazarse a distintos lugares:

1. Desde el hotel al parque
2. Desde la catedral a Correos
3. Desde la oficina a la imprenta
4. Desde la imprenta al banco
5. Desde el estanco a la oficina
6. Desde la cafetería a la imprenta
7. Del Ministerio a la oficina
8. De la empresa de informática a la cafetería

c) En grupos: Pidan indicaciones para llegar desde su centro de estudios hasta diversos puntos de la ciudad.

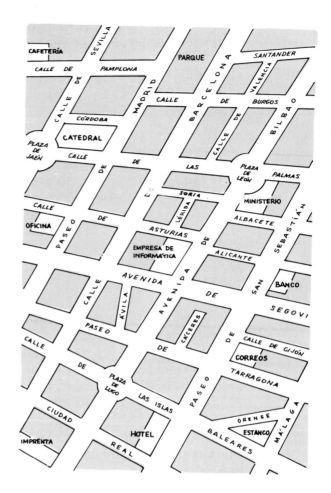

3. Para practicar

a) Una secretaria acaba de incorporarse a la empresa. Usted tiene que explicarle por escrito dónde puede encontrar:

1. El servicio de reprografía
2. La máquina de café
3. Los servicios
4. El despacho del Director
5. La bandeja del correo urgente
6. La sala de juntas
7. El material de oficina
8. El archivo fotográfico

Recuerde que debe utilizar las palabras siguientes: *estar, tener, encontrar, estar situado, hay, sigue, continúa, tuerce, dobla, sube, baja, vete, coge.*

Y puede utilizar también: *a la derecha, de frente, entre, encima de, al lado de, junto a, debajo de, sobre, en, a la izquierda.*

b) Escriba las correspondientes instrucciones, según el ejemplo:
Siga por esa calle / No siga por esa calle / No vale la pena seguir por ahí

1. Estudie el plano de la zona.
2. Vaya en autobús.
3. Para ver ese monumento, tuerza por la primera bocacalle.
4. Gire en el primer semáforo.
5. Vengan ustedes hasta nuestras oficinas.

c) *Su jefe le está dando instrucciones por teléfono y se oye muy mal, así que tendrá usted que adivinar lo que le dice:*

Cuando .... *(ir)* usted al banco, ... *(preguntar)* por el Director y .... *(pedir)* información sobre créditos a la Pequeña y Mediana Empresa. Después, ... *(acercarse)* a la imprenta y..........
.... *(recoger)* los sobres que hemos encargado. A continuación, ... *(tomar)* un taxi y .... *(ir)* al Ministerio de Hacienda para comprar los impresos del I.V.A. Cuando .... *(terminar)* allí, y si le da tiempo, ... *(acercarse)* a la gestoría y .... *(reclamar)* la documentación del coche. Cuando .... *(estar)* usted allí, ... *(telefonear),* por favor. Hasta luego.

d) *Tiene que indicar a un cliente cómo llegar a pie hasta el Ministerio de Trabajo. Usted no tiene ningún plano, pero puede dibujárselo siguiendo estas instrucciones:*

«Cuando salga de nuestras oficinas, siga de frente y doble por la segunda calle a la izquierda. Al final de esa calle, llegará usted a una avenida que termina en una plaza con una fuente. No cruce la calle y continúe por la acera de la derecha unos doscientos metros. En la acera de enfrente, verá unos edificios muy grandes. Ahí está el Ministerio de Trabajo.»

e) *Usted va a dar una fiesta en su casa. Escriba una pequeña nota indicando a su compañera cómo llegar. También puede adjuntar un planito para que no se pierda.*

4. Y para terminar

a) *Un cliente tiene que ir a Valladolid en coche y le pide que le indique la ruta. Estudie el mapa con su compañero y decidan de qué ciudad sale y cuál es la ruta que debe seguir.*

b) *En grupo: En esta Sopa de Letras hay diez verbos que son muy útiles para indicar direcciones. Una vez localizados los verbos, los alumnos se hacen preguntas utilizando: ¿Cómo podría ir a ...? ¿Podría indicarme cómo ...? Dime cómo voy a .... ¿Para ir a ...?*

A	R	J	T	E	P	K	N	B	C	U	I	R	T
O	K	G	I	R	A	R	B	R	J	M	I	U	V
Ñ	F	N	B	L	P	Y	I	M	F	D	L	A	A
U	S	C	J	O	I	U	E	B	K	O	J	C	N
D	R	T	H	H	G	N	B	O	L	B	U	J	D
M	C	O	G	E	R	O	L	B	M	L	T	D	A
H	G	Z	S	O	M	K	F	E	G	A	L	E	R
U	S	U	B	I	R	O	E	B	A	R	I	R	E
W	I	J	H	U	N	F	E	C	D	I	E	P	U
E	C	O	N	T	I	N	U	A	R	C	E	H	A
C	L	A	D	L	O	M	U	H	R	I	S	Z	A
G	B	A	J	A	R	Y	U	O	H	U	M	O	V
D	J	U	L	O	M	N	T	U	D	E	J	I	L
M	O	H	B	R	F	E	S	A	C	E	K	I	O

B   RECEPCIÓN Y ATENCIÓN DE VISITAS

EL DECÁLOGO DE LA PERFECTA SECRETARIA

1. Fijar el horario de las entrevistas de su jefe.
2. Anotar en la agenda, y comprobar diariamente, las citas y las visitas de su jefe.
3. Recordar a su jefe las visitas y los compromisos.
4. Llevar un libro de visitas y actualizar los ficheros.
5. Mostrar interés por las personas que visitan la oficina y manifestar deseo de ser útil.
6. Reconocer a los visitantes asiduos y llamarlos por su nombre o apellido.
7. Tratar a todos los visitantes de forma que se sientan cómodos y ofrecerles una revista o una taza de café.
8. Informar al visitante en el caso que tenga que esperar, y dar una explicación de ese retraso.
9. Anular con prontitud y diplomacia los compromisos que no se puedan cumplir.
10. No perder nunca la paciencia ni la sonrisa ante un cliente difícil.

1.   *Para leer y comprender*

a) *Localice en el texto las ideas afines a éstas que siguen:*

1. Dar la sensación de interesarse realmente por los visitantes.
2. Atender con amabilidad a las visitas.
3. Facilitar las relaciones humanas entre la empresa y las visitas.
4. Ser responsable y eficaz.
5. Mantener la serenidad.

b) **Resuma el decálogo en apartados relacionados con:**

1. Las visitas.
2. El jefe.
3. La tarea específica de una secretaria.

c) **Con ayuda de un diccionario, defina o dé sinónimos:**

— decálogo
— visitante
— asiduo
— cómodo
— visitante asiduo

— revista
— retraso
— cita
— diplomacia
— relaciones humanas

2. *Para hablar*

a) **Por parejas: completen este diálogo entre una secretaria y un cliente, con las siguientes instrucciones:**

— saludos
— explicar que el jefe está terminando una reunión
— ofrecer una revista o una bebida
— el cliente tiene que hacer una llamada urgente
— el cliente necesita una información sobre vuelos

Secretaria: ¡Señor Kostner! ¿Otra vez por aquí...?
Cliente: ...., Laura. ¿Qué tal está?
Secretaria: .... ¿................................. el viaje?
Cliente: ...., gracias.
Secretaria: .... Le avisaré en cuanto termine.
Cliente: No se preocupe. Puedo esperar.
Secretaria: ¿.................................?
Cliente: No, muchas gracias. ¿Dónde dejo el paraguas?
Secretaria: Perdone .... ¿Necesita algo más?
Cliente: Bueno, ...
Secretaria: ¿.................................?
Cliente: Sí, gracias. El número es 397 45 10.
Secretaria: Puede hablar desde ese despacho.
Cliente: ....
Secretaria: Creo que ya termina la reunión.
Cliente: Laura, ¿.................................?
Secretaria: Por supuesto. ¿Para dónde es el vuelo?
Cliente: ....
Secretaria: Ahora mismo llamo a información.

b) **Su amiga empieza mañana a trabajar de secretaria, ¿qué le aconsejaría de acuerdo con el decálogo de la perfecta secretaria?**

Puede utilizar palabras como: *Recuerda... No se te olvide... No...*

c) **Son las nueve de la mañana y usted está comprobando las citas y compromisos del día. Por parejas: preparen el diálogo entre la secretaria y el jefe para reproducirlo oralmente.**

Agenda de la secretaria

09.00 Recordar Sr. C. télex Bogotá
　　　 Contrato C.F.
09.30 Junta Dpto. de Personal
10.00 Llamar Ag. Viajes/Sr.
　　　 Kostner
11.15 Reclamar fotocopias
　　　 Llamar a Cuca
11.45 Recordar Sr. C. cláusula
　　　 GELSA
12.00 GELSA ?
12.30 Reservar almuerzo
　　　 4 pax Palace H.
16.00 Cursillo documentación

Agenda del jefe

09.30 Departamento de P.
　　　 Llamar a Pepe S.
12.00 GELSA/cláusula ?
14.00 Almuerzo Palace Hotel
18.00 Dentista
19.30 Conferencia Cámara de Comercio

3. Para practicar

a) **Su jefe está preocupado, y probablemente se le olvidarán sus obligaciones y compromisos si usted no se los recuerda. Escríbale una notita, recordándole:**
1. Felicitar a su hermano por el ascenso.
2. Llamar por teléfono a la Caixa de Pósitos de Lisboa.
3. Tomarse las pastillas.
4. Preparar un informe para la junta de accionistas.
5. No contestar la nota de personal hasta hablar con el representante sindical.
6. Leer el artículo de *La Actualidad Económica* sobre OPAS.

b) **Escriba la fórmula que utilizaría con las visitas para:**
1. Ofrecer un café a un buen cliente.
2. Ofrecer asiento.

3. Reservar un vuelo a nombre de un cliente.
4. Ofrecerse a llamar a un taxi.
5. Recogerles el abrigo, el maletín, el paraguas, etc.
6. Preguntar si necesitan algo.

c) *Piense, y exprese por escrito, lo que haría o diría en estas situaciones:*

1. Su jefe tenía una cita a las nueve de la mañana y se ha olvidado.
2. Su jefe está en el médico y no quiere que nadie lo sepa. El Presidente de la compañía quiere verle.
3. Acaba de entrar un periodista que va a hacer una entrevista a su jefe. Tendrá que esperar quince minutos o más.
4. Su jefe está en una reunión importante y le telefonea un amigo desde Londres.
5. Llega al despacho de su jefe una visita que trae el paraguas chorreando porque está lloviendo mucho. Usted no conoce a esa persona.
6. Un cliente asiduo le regala una caja de bombones.

4. *Y para terminar*

a) *En grupos: su jefe está en una reunión informal; comuníquele por gestos los siguientes mensajes:*

1. Su esposa está al teléfono.
2. Firme el contrato antes de irse.
3. Recoja el billete de avión y el sobre con los dólares.
4. El Director de Ventas de La Coruña quiere hablar con usted.
5. El profesor de inglés no viene hoy.
6. Usted debe irse ya porque tiene un examen.

b) *Señale los elementos imprescindibles que debe haber en la zona de recepción de una empresa. Explique sus razones.*

— Flores y plantas
— Paragüero
— Caja con caramelos
— Fotografía de las instalaciones de su empresa
— Cuadros de estilo clásico
— Cuadros de estilo vanguardista
— Revistas
— Ceniceros
— Cajas con cigarrillos y puros
— Guías de teléfono
— Televisión y vídeo
— Música ambiental
— Lápices y bolígrafos
— Papel para notas
— Cafetera
— Mueble-bar con bebidas
— Expositor con productos de la empresa
— Sillas rígidas
— Sillones
— Perchero

c) *También puede dibujar un pequeño croquis de cómo decoraría su despacho.*

1 Ha sido un día de quejas y reclamaciones. Antes de despachar con su jefe, estudie sus notas y la correspondencia.

Martin Finch no ha recibido los libros del profesor.

Urgente

2

NUESTRO PEDIDO N.º B/S 5345/A LLEGÓ EL LUNES. LAMENTO COMU-NICARLES QUE FALTA-BAN LAS CINTAS DE VÍDEO. SALUDOS.

SHORTMAN

3

15 de julio de 1992

DE: Ángel Sanchís (Jefe de Almacén)

A: Carmen Pons (Directora Comercial)

Siento tener que informarle que el ser-vicio de mantenimiento no ha terminado todavía las obras previstas.

Saludos.   Ángel Sanchís

4

Hispanexport, S.A.

Sra. D.ª Carmen Pons
DIDACTA, S.A.
Polígono la Paz, s/n. 28000 Madrid

18 de julio de 1992

Estimada señora:

Como continuación de nuestra conversación telefónica, quisiéramos señalarle varios puntos.

En primer lugar, aceptamos sus disculpas por el retraso en las entregas debido a las reformas de su almacén, pero les recordamos que nuestro pedido se hizo con la suficien-te antelación.

En segundo lugar, queremos recordarle que el curso co-menzará en el mes de septiembre y deberíamos tener el material didáctico a nuestra disposición mucho antes. En caso contrario, nos veremos obligados a anular nuestro pedido.

Por último, no hemos recibido contestación a nuestra re-clamación por el material defectuoso que nos llegó en el mes de mayo.

En espera de sus noticias, le saludamos atentamente

Vicent Collado
Director Comercial

Anexo: Fotocopia de la carta de reclamación de fecha 30 de mayo.

s/ref. 91/AA-7

1. Para leer y comprender

a) Tome notas y conteste:

1. ¿Cuál es la actividad de la empresa que recibe las reclamaciones y las quejas?
2. Resuma el motivo de la reclamación o de la queja de cada uno de los documentos.
3. ¿Cuáles son los problemas que se plantean?
4. De los cuatro documentos, decida a qué número corresponde la carta, la nota tomada por teléfono, el télex y el memorándum.
5. Señale las diferencias entre queja y reclamación. Indique qué documentos exponen quejas y los que hacen reclamaciones.

b) Localice en los documentos las fórmulas que expresan disculpas.

c) Anote sus propias explicaciones para satisfacer estas reclamaciones:

— Martin Finch: — Almacén/Mantenimiento:
— Shortman: — Hispanexport:

2. Para hablar

a) Exprese sus disculpas o justificaciones para las siguientes quejas o reclamaciones:

1. Está usted despistada, señorita.
2. Ha escrito usted Huelva sin hache.
3. No ha pasado el correo al jefe.
4. Ha llegado tarde.
5. Ha colgado el teléfono a un cliente.
6. En esta factura hay un error de 68.000 pesetas.

b) Después de haber despachado con su jefe acerca de todas las quejas y reclamaciones, usted tiene que hacer algunas llamadas telefónicas.

Por parejas: preparen las siguientes conversaciones para reproducirlas oralmente.

1. Con el señor Finch, en relación con el olvido de los libros del profesor.
2. Con el servicio de mantenimiento, en relación con las obras del almacén.
3. El diálogo entre la Directora Comercial y el Jefe de Almacén, en relación con el retraso en el envío de los pedidos y las obras del almacén.

c) **Usted quiere expresar sus quejas ante el Jefe de Personal, así que ordene primero su exposición, utilizando:**

— ante todo/antes de nada/primero de todo/en primer lugar/por de pronto
— en segundo lugar/además/asimismo/igualmente/por otra parte
— en cuanto a/respecto a/por una parte/por otra/a este respecto
— por último/por fin/finalmente

3. *Para practicar*

a) **Complete:**

1. En relación con su reclamación, ...
2. Sentimos tener que ....
3. Le prometo que haré todo lo posible por ....
4. Les ruego ....
5. Lo siento muchísimo, pero ....
6. Créame que lamento ....
7. Haremos todo lo que esté en nuestras manos por . ...
8. Lamento las molestias ....

b) **Relacione las quejas y reclamaciones con la correspondiente disculpa:**

1. Me llamó inepto.
2. Su representante no llegó a la cita.

3. Su factura no corresponde a nuestro pedido.
4. Me veo en la obligación de recordarle su compromiso de pago.
5. Por error hemos recibido 400 libros de Matemáticas, y nuestro pedido correspondía a 400 libros de Física.

a) Lamentamos error en n/fra.
b) Inexplicablemente, ha habido una confusión en el departamento de pedidos. Hoy mismo hemos pasado nota a nuestra Delegación.
c) Lo siento. Estaba muy nervioso.

d) Olvidamos comunicarle que nuestro representante tuvo un accidente.
e) Pongo en su conocimiento que hoy mismo he dado orden a mi banco...

c) **Escriba algunas notas dando explicaciones a diversas reclamaciones, utilizando estos motivos:**

1. Huelga de transportes.
2. Enfermedad del Jefe de Contabilidad.
3. Extravío de documentación.
4. Cambio de número de teléfono.
5. Error personal.
6. Equivocación de la agencia bancaria.

d) **Escriba la carta de contestación a Hispanexport, S. A. de acuerdo con este borrador:**

> Lamentamos todo lo que nos comunica en su c/.
>
> Aseguramos que recibirá el material a tiempo.
>
> Esperamos que no vuelva a suceder.
>
> En cuanto a la reclamación por material defectuoso / Depto. Contabilidad.

e) **Escriba la nota anterior en taquigrafía.**

4.   Y para terminar

a) **Traduzca estas cartas al español.**

1.

Dear Ms. Pons,

We are pleased to enclose a copy of our *International Journal*.

We apologise for the delay due to depletion of stocks. Should you require any further information, contact us leaving a message on our Mailbox 40 PT 1000.

Your sincerely.
Anthony K. Thompson

2.

Cher Client,

Votre secrétariat nos a dûment téléphoné nous demandant de vous réserver un chambre á un lit avec salle de bain. A notre vif regret, nous ne pouvons pas vous recevoir parce que toutes les chambres étant déja réservées.

Avec nos excuses et nos regrets réitérés, nous vous prions d'agréer, cher Monsieur, l'expression de nos sentiments distingués.

3. ▓▓

Caro amico,

Grazie per il tuo fax 15/12/91, ricambio di cuore gli auguri per un felice 1992.
Prima di rispondere punto per punto al tuo fax, ti ricordo che il contratto che ti richiedevo é quello generale di rappresentanza, contenente tutte le condizioni. Puoi inviarme copia, come promesso, prima di procedere ad una stesura finale che ci trovi d'acordo. E veramente urgente perché dovremmo averlo prima di fare lo stock.
I piú cordiale saluti

Mario di Stefano
Milano, 20/12/91

4. ▓▓

Alfter, 19, Juni 1991

Sehr geehrte Damen und Herren,
wir bitten Sie, uns in Ihren Verteiler für Ihr Verlagsverzeichnis aufzunehmen.
Bitte senden Sie regelmässig die Ubersicht über Ihr Angebot mit Preisangaben an:
WBU
Information
Beethoven strasse 7
BONN 3533

Wir danken für Ihre Mühe
Mit freundlichen Grüssen im Auftrag

b) ***Redacte las contestaciones de estas cartas en el idioma que prefiera.***

1. Lamentamos el error que señalan ustedes en la factura correspondiente al pedido n.º 3456/PS, y les agradecemos que nos lo hayan indicado en su atenta carta del 22 de julio.

   Les rogamos acepten nuestras excusas por los inconvenientes que les hayamos podido ocasionar.

2. Sentimos tener que informarles que el mobiliario de oficina que les habíamos ordenado, según nuestro pedido con fecha 20 de noviembre y factura n.º 3280, nos ha llegado en malas condiciones debido a un deficiente embalaje. Esperamos sus instrucciones sobre el particular.

Relaciones con proveedores, compañías y empresas de servicios

A | CONDICIONES DE COMPRA

Vendedor: Llamo de **Mobilia** y quisiera hablar con el Jefe de Compras, por favor.

Secretaria: Yo soy su secretaria.

Vendedor: Es en relación con el catálogo de muebles de oficina que nos han solicitado...

Secretaria: Precisamente iba a llamarles hoy para preguntarles algunos detalles antes de hacerles un pedido.

Vendedor: ¿Cuándo puedo ir a visitarles?

Secretaria: No. No es necesario que venga. De momento, quisiéramos saber cuáles son sus condiciones. Es decir, forma de pago y posibles descuentos...

Vendedor: Depende del pedido que nos hagan. En compras al por mayor, solemos hacer un descuento del diez por ciento sobre el precio del catálogo, sin el IVA claro, y un doce por ciento si el pago se efectúa en el plazo de treinta días después de la recepción del pedido. Respecto a la forma de pago, puede ser al contado o mediante cheque, letra a treinta días o por transferencia bancaria.

Secretaria: ¿Hay alguna posibilidad de un descuento adicional?

Vendedor: Ya le he dicho que depende del pedido que nos hagan.

Secretaria: Bueno, se trata de amueblar nuestra nueva sucursal en Valencia... Dos despachos de dirección, cuatro o cinco despachos más, la sala de juntas, la sala de espera, el área de recepción, la de administración y varios puestos informáticos. Posiblemente, podría interesarnos también su oferta de accesorios, soportes de máquinas, archivadores, armarios metálicos y carros para ordenador...

Vendedor: Ya veo... Creo que podremos llegar a un acuerdo.

Secretaria: Otra cosa... ¿Cuánto tiempo tardarían en servirnos el mobiliario?

Vendedor: Si no hay ningún problema de existencias, les instalaríamos la oficina el día que ustedes nos indicasen, ya que tenemos almacén en Valencia.

Secretaria: Pues nada más. Muchas gracias. Se lo comentaré a mi jefe y nos pondremos en contacto con ustedes para que nos envíen un presupuesto.

Vendedor: A su disposición. Espero sus noticias.

1. *Para leer y comprender*

a) *Elija la opción correcta:*

1. La secretaria quiere
   - *a)* hacer un pedido.
   - *b)* saber algunos detalles.
   - *c)* precisar las condiciones de compra.

2. El vendedor llama en relación con
   - *a)* un catálogo.
   - *b)* un pedido.
   - *c)* una entrevista.

3. El descuento depende del
   - *a)* volumen de la compra.
   - *b)* precio en el catálogo.
   - *c)* Impuesto sobre el Valor Añadido.

4. Las formas de pago son
   - *a)* sólo al contado.
   - *b)* sólo a treinta días.
   - *c)* al contado, por cheque, letra o transferencia.

5. El plazo de entrega del pedido es
   - *a)* a los treinta días.
   - *b)* cuando se acepte el presupuesto.
   - *c)* el día que indique el cliente.

b) *Explique los siguientes términos:*

— Jefe de Compras
— pedido
— descuento
— catálogo

— sucursal
— despacho
— sala de juntas
— puesto informático

c) **Clasifique de acuerdo con los siguientes conceptos:**

	FORMA DE PAGO	CARGO	MOBILIARIO	COMPRA -VENTA
Jefe de Compras.............		X		
Jefe......................				
Secretaria......................				
Catálogo				
Pedido...........................				
Descuento				
Al por mayor..................				
IVA.				
10 %				
Al contado.....................				
Cheque..........................				
Letra de cambio..............				
Transferencia				
Soporte de máquina........				
Armario.........................				
Presupuesto....................				
Vendedor.......................				

2. *Para hablar*

a) **Por parejas: la empresa tiene un presupuesto de medio millón de pesetas para comprar cincuenta sillas para el aula de formación. Comente con su compañero cuál es el modelo más apropiado de los que le ofrecemos, teniendo en cuenta el presupuesto, las características de las sillas y el precio.**

Modelo 2001
14.000 pts.

Modelo 50
2.800 pts.

Modelo 100
con atril
5.800 pts.

b) **Una vez elegido el modelo de silla, preparen la conversación entre la secretaria y el representante de la empresa que las vende, para precisar las condiciones de pago, el plazo y el lugar de entrega.**

c) **Por último, preparen la conversación entre la secretaria y el jefe sobre los detalles de la gestión y los resultados.**

3. *Para practicar*

a) **Complete la carta siguiente, en la que se hace un pedido, con los datos que le facilitamos:**

tomar nota
pedido
duplicado
antes
al contado
factura
acuse recibo
lista actualizada
semana

Muy señores míos:

.... de su catálogo y ....
.... de precios que nos enviaron la .... pasada y les ruego que .... del siguiente
...........:

— dos carros para ordenador 80x70x45, color gris.
— dos juegos de soportes de impresora, modelo 190, color gris.

Les rogamos que sirvan el .... lo .... posible.

El pago se efectuará ...., previa presentación de la .... por ....
Atentamente.

b) **Termine estas frases, explicando su intención:**

1. Precisamente, iba a ....

2. El mes próximo vamos a ....

3. Ahora mismo voy a ....

4. Usted dijo ayer que iba a ....

5. No creo que vayan a ....

6. En este momento íbamos a ....

c) **Usted ha hecho una serie de sugerencias y de ofertas, y ha recibido estas contestaciones. ¿Podría preparar por escrito las correspondientes ofertas?**

1. Es imposible...
2. ¡Ni hablar!
3. Hay pocas posibilidades de...
4. Es poco probable que...
5. Es del todo imposible...
6. Depende de varios factores...

d) **Complete los datos de la siguiente nota de pedido.**

MOBILIA, S. A.
Uruguay, 103
28016 MADRID

Pedido n.º S 15848

n/referencia/: ....

s/referencia: ....

Fecha: ....

Artículo	Modelo/referencia	Pts./u.
2 Filtros antirreflejos	Mod. 8040	3.500
2 Atriles sobremesa	Mod. 1123	1.700
2 Archivadores diskettes con llave	Mod. 1927 (5 1/4)	2.500
2 Soportes con tres bandejas	Negro	5.800

Lugar de entrega: ....

Plazo de entrega: ....

Forma de pago: ....

4. Y para terminar

a) **Lea la carta y anote:**

1. ¿Quién es el proveedor?
2. ¿A quién se dirige en la empresa?
3. ¿Ofrece un producto, un servicio o las dos cosas?
4. ¿Cuáles son sus argumentos de venta?
5. La carta no lleva fecha; ¿cuándo la han enviado? ¿Por qué?
6. ¿Qué sugiere expresamente?

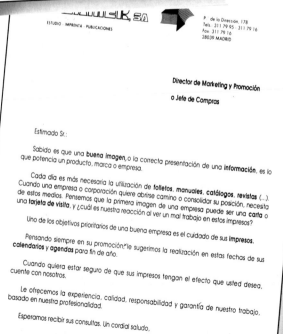

ESTUDIO · IMPRENTA · PUBLICACIONES

Pº de la Dirección, 178
Tels.: 311 79 95 - 311 79 16
Fax: 311 79 16
28039 MADRID

Director de Marketing y Promoción
o Jefe de Compras

Estimado Sr.:

Sabido es que una **buena imagen**, o la correcta presentación de una **información**, es lo que potencia un producto, marca o empresa.

Cada día es más necesaria la utilización de **folletos, manuales, catálogos, revistas** (...). Cuando una empresa o corporación quiere abrirse camino o consolidar su posición, necesita de estos medios. Pensemos que la primera imagen de una empresa puede ser una **carta** o una **tarjeta de visita**, y ¿cuál es nuestra reacción al ver un mal trabajo en estos impresos?

Uno de los objetivos prioritarios de una buena empresa es el cuidado de sus **impresos**.

Pensando siempre en su promoción, le sugerimos la realización en estas fechas de sus **calendarios y agendas** para fin de año.

Cuando quiera estar seguro de que sus impresos tengan el efecto que usted desea, cuente con nosotros.

Le ofrecemos la experiencia, calidad, responsabilidad y garantía de nuestro trabajo, basado en nuestra profesionalidad.

Esperamos recibir sus consultas. Un cordial saludo,

Departamento de Marketing

b) **Comente con sus compañeros la finalidad que en una empresa tienen:**

— los folletos
— los catálogos
— las revistas
— las cartas
— las tarjetas de visita
— los impresos
— los calendarios
— las agendas

Creo que...
Opino que...
Supongo que...
No sé...
La verdad es que...
¿Qué piensas de...?

B PEDIDOS DE MATERIAL DE OFICINA

Localice en la fotografía los siguientes artículos de material de oficina.

- papel de cartas
- sobres de diferentes tamaños
- sobres de ventanilla
- carpetillas
- bloc
- regla
- cinta adhesiva
- bolígrafo
- goma de borrar
- grapas
- clips
- lápiz
- grapadora
- líquido corrector
- papel para la impresora
- papel para el telefax
- sello y tampón

1. *Para leer y comprender*

a) **Indique la diferencia entre:**

1. sobre/sobre de ventanilla
2. papel de cartas/para impresora
3. bloc de notas/bloc rayado
4. grapas/clips
5. goma de borrar/líquido corrector

b) **Repase mentalmente, y escriba, el género y las formas de plural de cada uno de estos artículos.**

c) **Traduzca estos artículos de oficina al alemán, francés, inglés, italiano, etc.**

d) **Acaba de llegar del almacén su pedido de material. Lea las cantidades en voz alta y diga para qué utiliza cada uno de los artículos:**

— 100 sobres grandes
— 100 sobres de ventanilla
— 5 blocs rayados
— 2 blocs de notas
— 6 bolígrafos (rojo y negro)

— 10 cajas de grapas
— 10 cajas de clips
— 1 cenicero
— 2 papeleras

2. Para hablar

a) **Por parejas: preparen el diálogo con el encargado del almacén, reclamando el material de oficina que no les ha enviado.**

b) **Por parejas: preparen este diálogo siguiendo el modelo:**

A: *¿Me podrías dar lápices?*
B: *Creo que sí. ¿Cuántos necesitas?*
B: *No me quedan. Lo siento.*

El alumno A pide a su compañero:

— 6 lápices
— 5 cajas de grapas
— 1 caja de clips
— 1 grapadora
— 1 paquete de papel de cartas
— 50 sobres de ventanilla
— papel carbón
— papel de impresora

El alumno B comprueba las existencias en el almacén:

— lápices	90 u.
— papel carbón	—
— cajas de grapas	30 u.
— cajas de clips	21 u.
— grapadoras	—
— papel de cartas	200 paquetes
— papel impresora	—
— sobres grandes	—
— sobres ventanilla	—
— blocs de notas	10 u.
— cinta adhesiva	—

c) **Pida a su compañero que le explique dónde hay en su casa:**

papel de cartas, grapas, ceniceros, papeleras, blocs de notas, etc.

3. Para practicar

a) Termine estos consejos siguiendo el ejemplo:

Si no tiene lápiz { puede utilizar un bolígrafo
utilice un bolígrafo

1. Si no tienes ordenador, ...
2. Si no tiene goma de borrar, ...
3. Si no tenemos sobres de ventanilla, ...
4. Si no tienen clips, ...
5. Si no tenéis cinta adhesiva, ...
6. Si no os funciona el fax, ...

b) Termine estas frases:

1. Tomo notas en ....
2. Tomo notas con ....
3. Los papeles los puedo unir con .... o con ....
4. Las cartas las envío en ....
5. Tiro los papeles a la ....
6. Para corregir escritos mecanografiados utilizo ....
7. Para corregir notas a lápiz utilizo ....
8. La ceniza la echo en ....

c) Conteste:

1. ¿Cuántos alumnos hay hoy en clase? ....
2. ¿Cuántas hojas de papel hay sobre las mesas? ....
3. ¿Cuántos bolígrafos de color azul? ....
4. ¿Cuántas pizarras? ....
5. ¿Cuántas carpetas? ....

d) Escriba correctamente estos artículos y acentúelos si hace falta:

— sobre ventanilla   — boli
— papel carbon   — goma borrar
— bloc notas   — caja clips
— liquido corrector   — lapizes
— adhesiba cinta   — tampon

e) *Adivine de qué objetos se trata y deletréelos después:*

- arodaparg
- llapeticar
- grafolibo
- nadedoror

- xafelet
- fotadicno
- xelet
- criesdequinabirma

4. *Y para terminar*

a) *Localice en esta Sopa de Letras diez objetos que hay casi siempre en una oficina y, sin embargo, no son material de oficina.*

b) *Le han encargado que haga un estudio para aprovechar el espacio del área de recepción. En primer lugar, dibuje el plano, teniendo en cuenta los siguientes datos:*

C	S	J	O	X	Ñ	G	I	O	P	D	C	F	C
Q	P	I	S	A	P	A	P	E	L	E	S	L	E
Z	A	B	R	E	C	A	R	T	A	S	P	O	N
Y	R	U	H	B	N	C	D	R	R	D	O	R	I
P	A	P	E	V	B	B	Ñ	O	V	I	Q	E	C
G	G	R	B	R	R	N	H	J	R	I	T	R	E
P	U	H	P	A	Z	P	E	A	A	G	I	O	R
T	E	O	D	O	D	K	D	O	R	O	J	I	O
I	R	I	P	O	L	N	A	L	B	O	E	I	N
O	O	I	Y	T	E	T	T	M	B	R	E	O	
E	T	N	R	L	D	U	N	M	O	J	A	T	F
B	M	L	A	V	D	Q	A	D	F	F	R	T	G
M	O	C	L	L	J	U	L	B	L	E	R	M	I
Ñ	H	E	T	E	X	Z	P	N	A	V	G	S	A

MEDIDAS EN METROS:	LARGO	ANCHO	ALTO
área de recepción	2	2,40	3
2 archivadores	0,44	0,72	1,35
1 armario metálico	1,20	0,42	2.
mostrador..	1,60	0,75	0,80
1 librería...	0,74	0,42	0,92
2 sillas giratorias..............................	–		
1 ordenador con mesa extensible	1	0,80	0,72
1 impresora con mesa.........................	1	0,80	0,72

A continuación, conteste:

1. ¿Cuánto mide el armario metálico de ancho?...

2. ¿Cuánto mide de alto la mesa del ordenador?...

3. ¿Qué ancho tiene la mesa de la impresora?...

4. ¿Qué medidas tiene la recepción? ....

5. ¿Cuánto mide de largo el mostrador? ....

La anterior secretaria era un poco desordenada. En realidad, era un desastre. ¿Podría ordenar alfabéticamente estas compañías y empresas de servicios para hacer un listín de teléfonos? Le aconsejamos que utilice fichas de archivador.

POLICÍA 091

BOMBEROS 080

CRUZ ROJA 479 93 61

CANAL DE ISABEL II
(Averías) 446 25 89

AIRE ACONDICIONADO
413 27 49

HIDROELÉCTRICA
266 32 00

IBERIA (Información)
411 25 45

CARLOS YÁÑEZ
Abogado 210 91 91

TRADUCTORES JURADOS
522 32 43

RENFE 429 02 02

TELEFÓNICA
003/002/004

EURINVEST
Asesores bursátiles 521 10 45

CAJA DE MADRID
532 87 85

FOTOMECÁNICA
567 89 99

IMPRENTA
311 10 12

MICRONET
Asesoría Informática

BANCO DE SANTANDER
476 76 57

FOTOGRAFÍAS AÉREAS
467 76 67

HERRERO Y ASOCIADOS
Propiedad Industrial 522 34 67

Transportes Internacionales
Agencia de Aduanas 672 72 31

1. Para leer y comprender

a) Clasifique esas empresas de acuerdo con los servicios que prestan:

Urgencias, Asesoría, Agua y electricidad, Transporte, Comunicaciones, Servicios financieros, Artes gráficas, Mantenimiento, Otros.

b) **Explique la actividad de los siguientes profesionales, siguiendo el ejemplo:**

Un bombero es la persona { *que apaga los incendios*
cuyo trabajo consiste en apagar los incendios
que trabaja en el servicio contra incendios

— abogado   — asesor bursátil
— médico   — agente de la propiedad industrial
— enfermera   — fotógrafo
— traductor   — policía
— informático   — técnico en aire acondicionado

c) **Piense a qué profesional llamaría si su jefe la encargase:**

— un reportaje fotográfico
— la automatización de los servicios
— el registro de una patente
— enviar un paquete urgente
— un catálogo con ilustraciones
— una aplicación informática
— información sobre marcas y logos
— informe sobre mercado de valores

2. *Para hablar*

a) **Usted se va a ir un mes de vacaciones y tiene que decir a la secretaria temporal lo que debería hacer:**

1. Si se estropease el aire acondicionado...
2. Si no funcionase la fotocopiadora...
3. Si le fallase el ordenador...
4. En el caso de que no tuviera línea telefónica...
5. Si necesitase información de vuelos o de trenes...

b) **Preparen, por parejas, la conversación con una traductora a la que le van a encargar una traducción. Utilice estos detalles: idioma, características de la traducción, límite de tiempo, honorarios, instrucciones para el mecanografiado, etc.**

c) **Hoy es un mal día: no funciona el aire acondicionado y se le acaba de estropear el ordenador. Por parejas: preparen uno de los dos diálogos con los respectivos técnicos.**

3. *Para practicar*

a) *Escriba las profesiones:*

1. La persona que trabaja en un hospital ....
2. La persona que arregla el aire acondicionado...
3. La persona que mecanografía las cartas...
4. La persona que se encarga de las ventas en una empresa..........................
5. La persona cuya labor es asesorar sobre inversiones ....
6. La persona que se encarga de los asuntos legales.......................................

b) *Establezca sus condiciones siguiendo el ejemplo:*

1. *Si no funciona el fax* $\begin{cases} dígamelo \\ le\ mando\ un\ télex \\ no\ podré\ responderle \\ se\ lo\ comunicaré \end{cases}$

2. *Si no funcionase el fax* $\begin{cases} se\ lo\ diría \\ no\ podría\ comunicarme\ con\ usted \\ le\ mandaría\ un\ télex \end{cases}$

1. aumentar el sueldo
2. venir a arreglar el teléfono
3. hacer un descuento
4. trabajar por las tardes
5. estudiar por la noche

c) *Clasifique de acuerdo con las siguientes categorías:*

	NOMBRE	PERSONA	OBJETO	VERBO	ADVERBIO	OTROS
— reportero..........	X	X				
— reportaje...........						
— ilustrador..........						
— ilustración.........						
— ilustrar..............						
— registro.............						
— registrador........						
— técnico.............						
— fotocopiar						
— registrar						
— informático						
— informatización						
— automatizar						
— apagar						
— urgentemente...						
— paquete						
— traducción						

***d)* Relacione la columna A con la B:**

A

B

1. periodista
2. intermediario financiero
3. intérprete
4. catálogo
5. abogado
6. agente de la propiedad industrial
7. médico
8. técnico

a) conferencias internacionales
b) asesoría legal
c) máquinas
d) hospital
e) productos
f) periódico
g) mercado de valores
h) patentes y marcas

4. Y para terminar

***a)* Ha llegado la factura del teléfono.**

1. Señale las partes correspondientes a:
   — la fecha
   — número de abonado
   — nombre del abonado
   — conceptos facturados
   — datos del pago
   — información de orden interno
   — información sobre legislación
   — información de tarifas aplicadas
   — información general

Telefónica — Factura

Fecha emisión 1-07-89	Fecha Abono 214760	
Titular DIEZ TORROELLA, EMILIO		Factura N.º 24-G949-090909
Domicilio RONDA DE PADUA, 508; 6-A		D.N.I./C.F. 90645890
Detalle de Conceptos	49090	Población ZAMORA
		Importe (Ptas.)

1. CUOTAS DE ABONO. JULIO 89-AGOSTO 89

	PTAS.	MESES	
LINEA INDIVIDUAL EQUIPO PRINCIPAL (HERALDO)	920,00 X	2	1.840,00
	100,00 X	2	200,00

2. CUOTAS PUBLICIDAD GUIAS. JUL 89-AGO 89

	200,00 X	2	400,00

3. SERVICIO AUTOMATICO

LECTURAS	PASOS	PRECIO PASO	
31 MAR (0040785) A 30 ABR (0040983)	198 X	3,50	693,00
30 ABR (0040983) A 31 MAY (0041124)	141 X	3,50	493,50

4. CONCEPTOS VARIOS

CLAVE	DENOMINACION	
027	DEVOLUCION CUOTAS POR BAJA O DISMINUCION EQUIPO	- 200,00
700	VENTA EQUIPOS DE PLANTA EN SERVICIO	1.500,00

5. CONFERENCIAS A TRAVES DE OPERADORA

REFERENCIA	FECHA	DESTINO	
M0154	11 DE MAYO DE 1989	ITAL	345,00
• 00710	13 DE MAYO DE 1989	ROSE	300,00

TOTAL IMPORTES	
BASE IMPONIBLE 5.571,50 IVA APLICABLE (12%)	5.571,50
	668,58
TOTAL A PAGAR	6.240,00

```
** DATOS DE COBRO **
DOMICILIO DE PAGO: C.A. PROV. DE ZAMORA
                   LUISA FERNANDA S/N
CUENTA/LIBRETA:    9090900909
DATOS INTERNOS DE CONTROL: 496536/223-4901-2084-0044/2/Q/N
TARIFAS APROBADAS EN B.O.E. NUMERO 60 DE 11-3-1989 Y B.O.E. NUMERO 27 DE 1-2-1988
```

El pago de esta factura se acredita mediante el correspondiente adeudo bancario o el recibo de caja
Si precisa alguna aclaración llame a su Oficina de Abonados a través del 004 (llamada gratuita)

2. Diga de otra manera:

— factura número
— n.º de abono
— abonado
— DNI
— CIF
— domicilio

— cod. postal
— localidad
— jul 89-ago 89
— C. A. Prov. de Zamora
— S/N
— BOE

3. Explique a sus compañeros a qué se refieren las siguientes denominaciones técnicas:

— cuotas de abono
— línea individual
— cuotas publicidad guías
— precio paso
— servicio automático
— conferencias a través de operadora

b) *Su empresa no está de acuerdo con la factura del teléfono que ha recibido. Escriba una carta haciendo una reclamación sobre el total a pagar.*

8

*Congresos,
ferias
y exposiciones*

A EL FERIAL

III. ENTORNO

IV. DIMENSIONES

VI. SERVICIOS

VII. DIRECCIÓN

I. SITUACIÓN   **II. ACCESOS**   **V. CAPACIDAD**

Posibilidad de habilitar, gracias a la flexibilidad de la estructura, espacios diáfanos de hasta 10.800 m², para reuniones de 10.000 personas.
Locales para expositores: 36 de más de 40 m².
Salas de seminarios: 1 para 600 asistentes, 2 para 100 asistentes (convertibles en 1 de 200).

Parque suburbano con más de 2,2 millones de m². Incluye jardines, auditorio, biblioteca, instalaciones deportivas...
Campo de las Naciones. Ocupado por un Palacio de Congresos, dos hoteles, instalaciones deportivas y un Centro Internacional de Negocios.

Suelo destinado al Ferial de Madrid: 1.000.000 de m².
Superficie edificada: 150.000 m².
Superficie bruta de exposición: 100.000 m².
8 pabellones: 2 x 5.400 m², 2 x 10.800 m² y 4 x 16.200 m².
Superficie neta de exposición: 60.000 m².
Superficie edificio central y servicios complementarios: 30.000 m².
Superficie locales técnicos: 20.000 m².
Superficie para aparcamientos: 300.000 m².

Plazas de aparcamiento: 12.000 para vehículos visitantes, 2.000 para vehículos expositores, 150 para camiones y 150 para autobuses.
Superficie ajardinada: 200.000 m².
Red viaria interior: 6 km.

Servicio restauración: 8 restaurantes, 14 autoservicios y 14 bares cafetería (todos ellos con capacidad para servir 10.500 comidas diarias).
Redes de comunicación internas y externas.
2.000 teléfonos.
Servicio de télex, telefax, recepción de programas de radio y televisión vía satélite, salas de gra-

110

bación y emisión de radio y TV. Sistema integral de seguridad.

⑤ En los terrenos del antiguo Olivar de la Hinojosa, en el distrito de Hortaleza.

⑥ A 3 km del aeropuerto de Madrid. Carretera N-II y futura carretera del aeropuerto. Proximidad M-30. Ferrocarril.

⑦ IFEMA
Parque Ferial Juan Carlos I
28067 Madrid

B Calendario Sectorial

Alimentación y Bebidas	**LINEAL**
Arte y Antigüedades	**ARCO**
	BIENAL INTERNACIONAL DEL ANTICUARIO
	FERIARTE
Artes Gráficas, Papel	**GRAFEX**
Bricolaje, Ocio, Tiempo Libre	**EXPO-OCIO**
	SALÓN INTERNACIONAL DEL BRICOLAJE
Calzado	**EXPOCALZADO**
Climatización, Frío Industrial	**CLIMATIZACIÓN**
Confección, Moda Textil	**INMAGENMODA**
	INTERMODA
	INMODA-ANIMODA
Construcción, Obras Públicas	**FICOP**
	VETECO
Cultura	**FORO MADRID**
Deportes, Camping, Caravaning	**FIDEC**
Educación	**AULA**
Electricidad	**MATELEC**
Electrónica/Informática	
Fotónica/Láser	**OPTOLEC**
Ofimática/Robótica	**SIMO**
Telecomunicaciones	**TELECO**
Medición y Control	**COTELCO**
CAD-CAM-CAE	**EXPOCAD**
Energía	**COGENERACIÓN**
Equipamiento de Oficina	**SIMO**
Equipos Médico-Quirúrgicos, Dentales, Especialidades Farmacéuticas	**EXPODENTAL**

	EXPOMÉDICA-HOSPITALIA
Hogar	**EXPOMÚSICA**
	INTERLUM
Instrumentos Musicales, Discos	**EXPOMÚSICA**
Jardinería, Floristería	**FLORISTA**
Joyería, Bisutería, Orfebrería, Relojes	**BISUTEX**
	IBERJOYA
Libros, Material Didáctico	**INTERDIDAC**
	LÍBER
Limpieza, Tintorería, Lavandería	**TECNOCLEAN**
Medio Ambiente, Municipalidades	**TEM**
Mercado Inmobiliario	**HABITALIA**
Muebles, Decoración	**MOGAR**
	REGALO-FAMA
Nuevas Técnicas, Ingeniería	**TECNOVA**
	TECMA
Óptica, Instrumentos para laboratorio y científicos	**EXPO-ÓPTICA**
	OPTOLEC
Perfumería, Cosmética, Peluquería, Estética	**INTERLOOK**
Piel y Marroquinería	**IBERPIEL**
Regalo (Artículos de)	**REGALO-FAMA**
Seguridad	**SICUR**
	TRAFIC
Sonido, TV, Vídeo	**BROADCAST**
	EXPOMÚSICA
	IBERVÍDEO
Turismo	**FITUR**

C Calendario Ferial 1991

ENERO
11/15 REGALO-FAMA (A)
11/15 BISUTEX (A)
11/15 INTERLUM (A)
23/27 FITUR (B)
31/ 4 IBERJOYA (A)

FEBRERO
7/10 IBERVÍDEO (B)
7/12 ARCO (C)
 FORO MADRID (C)

SEMANA INTERNACIONAL DE LA MODA (A)
21/24 Imagenmoda
21/24 Intermoda
21/24 Inmoda-Animoda

MARZO
6/10 CLIMATIZACIÓN (A)
8/17 BIENAL INTERNACIONAL DEL ANTICUARIO (C)
16/24 EXPO-OCIO (C)

16/24 SALÓN INTERNACIONAL DEL BRICOLAJE (C)
19/22 INTERDIDAC (B)

ABRIL
4/ 7 FLORISTA (A)
4/ 8 IBERPIEL (A)
6/ 8 EXPOCALZADO (A)
10/14 EXPOMÚSICA (B)
17/21 MOGAR (A)
24/28 AULA (C)
26/29 EXPO-ÓTICA (A)

MAYO
SEMANA INDUSTRIAL Y TECNOLÓGICA DE MADRID
8/10 Tecma (A)
8/10 Cotelco (A)
8/10 Expocad (A)
8/11 Teleco (A)
8/11 Broadcast (A)
8/11 Tecnova (B)
24/28 LINEAL (A)

JUNIO
26/29 LÍBER (A)

SEPTIEMBRE
6/ 8 FIDEC (A)
SEMANA INTERNACIONALDE LA MODA (A)
12/15 Imagenmoda
12/15 Intermoda
12/15 Inmoda-Animoda
19/23 REGALO-FAMA (A)
19/23 BISUTEX (A)

OCTUBRE
4/ 7 VETECO (B)
5/ 7 INTERLOOK (A)
5/ 7 EXPOCALZADO (A)
24/27 FICOP (A)
Oct-Nov IBERPIEL/ MARROQUINERÍA (A)
31/ 3 SALÓN BIENAL INTERNACIONAL DEL BRICOLAJE (A)

NOVIEMBRE
8/17 FERIARTE (C)
15/22 SIMO (B)
(A) Sólo visitantes profesionales.
(B) Mixta.
(C) Abierta al público.

1. Para leer y comprender

a) **Su jefe ha recibido estos elementos promocionales sobre ferias comerciales y le ha pedido que organice la información. Después de leer el documento A:**

1. Ponga a cada párrafo el encabezamiento correspondiente.

2. Anote el orden de los párrafos y formule hipótesis sobre la información que puede contener cada uno. Para ello, puede utilizar:

   El primero (I)   El quinto (V)
   El segundo (II)   El sexto (VI)
   El tercero (III)   El séptimo (VII)
   El cuarto (IV)

3. A continuación, complete estos datos:
   — Lugar exacto de este recinto ferial ....
   — Superficie total del ferial ....
   — Vías de acceso y medios de transporte ....
   — Número total de plazas de aparcamiento ....
   — Servicios de comunicaciones ....
   — Dirección para solicitar información: ....

b) **Compare los documentos B y C y conteste, expresando distintos grados de certeza, duda, probabilidad y posibilidad:**

1. ¿Cuál es la diferencia entre congreso, feria, exposición, salón, semana y seminario?
2. ¿Qué finalidad cumple el calendario ferial?
3. ¿Con qué objeto se presentan las ferias clasificadas por sectores?
4. ¿A qué sector profesional podría interesar FITUR?
5. ¿A qué ferias deberían acudir las empresas dedicadas a la construcción?
6. Usted trabaja en unos grandes almacenes, ¿qué ferias podrían interesar a sus jefes?
7. ¿Cuándo se celebra la **Expo-Ocio?**
8. ¿Qué significado tienen, en el Calendario Ferial, las letras A, B y C?

c) **Prepare un breve resumen para su jefe sobre el recinto ferial; como su empresa pertenece al sector de la educación, incluya los datos sobre las ferias que podrían interesarle.**

2. Para hablar

a) **En grupos: resumen oral del contenido del documento A.**

b) **Por parejas: preparen las posibles preguntas y respuestas sobre SIMO.**

c) Por parejas: formulen hipótesis, preguntas y opiniones sobre el tema, sector profesional que podría estar interesado, etc., de las siguientes ferias:

FERIARTE
IBERJOYA
EXPO-
ÓPTICA
IBERPIEL
E X P O -
DENTAL
LÍBER

S.I.M.O.

Feria Oficial Monográfica Internacional del Equipo de Oficina y de la Informática

Esta feria, que nació hace ya 31 años, especialmente orientada al Equipamiento de Oficinas, ha ido evolucionando durante estos años y, sin perder nunca este carácter, ha ampliado el material expuesto, añadiendo sucesivas oleadas de nuevas tecnologías. En S.I.M.O. conviven el mobiliario de oficina, el material de papelería, la reprografía y los más actuales sistemas tanto ofimáticos como informáticos. Se dirige a un público amplísimo, en el que caben desde los responsables ejecutivos de la gestión integrada de primerísimas empresas, hasta el joven estudiante que maneja su primer ordenador.

Fechas	15-22 de noviembre de 1991
Horario	De 10,00 h. a 19,30 h. Domingo: de 10,00 h a 15,00 h.
Edición	Trigésimo primera
Periodicidad	Anual
Carácter	Visitantes, Profesionales y Público en general.
Sectores	Bibliografía y Documentación Administrativa • Mobiliario e Instalación de Oficinas • Oficina Técnica • Seguridad de Documentos y Control de Personas • Papelería y Material de Oficina • Ofimática • Máquinas de escribir, calcular, reproducir y manipular • Telecomunicación y Telemática • Equipos Informáticos • Logical y Consultoría.
Actividades coincidentes	Conferencia Internacional de Informática • Convención anual de informáticos (CIBI) • Congreso Internacional sobre Diseño y Confort en la Oficina (CIDYCO)
Entrada	1.000 ptas.
Catálogo	6.000 ptas.
Organiza	C.I.T.E.M.A. Plaza de Alonso Martínez, 3-2° Dcha. 28004 Madrid

3. Para practicar

a) Indique los matices de las siguientes frases:

	DUDA	CERTEZA	POSIBILIDAD	PROBABILIDAD	POCA PROBABILIDAD
1. Es muy posible que cambie de trabajo					
2. Quizá pueda decirte algo mañana..................					
3. Es sumamente improbable que venga.............					
4. Estoy totalmente segura de habértelo dicho					
5. No sé, no sé					
6. Es ahí. De eso no hay duda					
7. Es posible que compren otro ordenador					
8. Tal vez tengas la carta en otro sitio..................					

b) **Termine estas frases:**

1. Seguramente ....
2. Todo indica que ....
3. Suponemos que..
4. Quizás ....
5. Es muy posible que ....
6. No hay duda de que ....

c) **Exprese por escrito:**

Juan XXIII ....
Siglo XVIII ....
Isabel II ....
Juan IV ....
Año MCLVI ....
Pedro III ....
Capítulo XI ....
Año MCXI ....
Juan Carlos I ....
Siglo XXI ....

d) **Escriba con letra estos datos:**

1.º ....
2.ª ....
19.º ....
3.º ....
49.ª ....
26 m^2 ....
300 km^2...
929 cm ....
50.000 m^2 ....
205.000 m ....

e) **La organización ferial le ha enviado la información que le había solicitado. Escriba una carta de acuse de recibo dando las gracias.**

4. *Y para terminar*

Acaba de llegar este folleto de la Feria de Muestras del Noroeste de España.

a) **Escriba un breve informe para su jefe con estos datos:**

FERIA INTERNACIONAL DE
MUESTRAS DEL NORDESTE DE ESPAÑA

FERROL

— lugar de celebración
— antigüedad
— sectores representados
— número de expositores en 1989
— número de visitantes
— otros datos

FECHA DE CELEBRACIÓN: 20-30 JULIO

HORARIO:

LABORABLES: DE 11,00 A 14,00 Y DE 17,00 A 21,00 HORAS
DOMINGOS Y FESTIVOS: DE 11,00 A 22,00 HORAS

DATOS ESTADÍSTICOS DEL ÚLTIMO CERTAMEN «MUESTRAS 89»

La FERIA DE MUESTRAS se celebró por primera vez hace 28 años en este Recinto Ferial, y actualmente con la categoría de Internacional. En la última edición de este Certamen MUESTRAS 89, se contó con la presencia de 368 Expositores Nacionales y 34 Expositores Extranjeros, y con más de 100.000 visitantes, de los cuales 615 fueron extranjeros. Se ocupó una superficie de 75.000 m².

CATÁLOGO:

La inserción en el Catálogo Oficial es totalmente gratuita para los Expositores, que deberán cumplimentar obligatoriamente las fichas de inscripción que les serán facilitadas a tal efecto.

SECTORES PRIORITARIOS:
— AUTOMOCIÓN, TRANSPORTE Y ACCESORIOS.
— AGRARIO.
— HOGAR. MUEBLES Y DECORACIÓN.
— INFORMÁTICA Y NUEVAS TECNOLOGÍAS.
— EXPOSICIÓN FILATÉLICA «EXFIGALICIA 90».

b) **Con ayuda de un diccionario, traduzca a su idioma los servicios que se ofrecen para facilitar la gestión comercial.**

SERVICIOS PARA FACILITAR SU GESTIÓN COMERCIAL

Teléfonos y telégrafos. Télex.
Correos.
Consigna.
Bancos.
Transportes (microbuses hoteles y aeropuerto, turismo con chófer y sin chófer).
Azafatas (con y sin idiomas).
Fotocopiadora, ciclostil.
Catering (bocadillos, bebidas y platos combinados directos al expositor).
Traductores. Intérpretes.
Traducción simultánea.
Salón de actos.
Salas de conferencias.
Servicio de megafonía.
Diapositivas.

Laboratorio fotográfico.
Fotógrafo.
Sala de prensa.
Restaurantes, cafeterías y self-services.
Buzones de correos.
Agencias de viajes (hoteles y billetes).
Tabacos, prensa y revistas.
Pastelería y bombonería. Objetos de regalo. Floristería.
Servicio de aduanas.
Seguros.
Personal de seguridad.
Parking para 5.000 automóviles.
Mensajeros (reparto).
Servicio de información para exposito-

c) **Con los elementos que aparecen a continuación, sugieran posibles nombres para ferias y decidan a qué sector profesional estarían dedicadas. Una vez «creado» el nombre, pidan a sus compañeros que lo deletreen.**

EURO-
ARCHI-
PENTA-

DIDAC-
GALAC-
GLOSO-

DULCI-
MEGA-
PHARMA-

Artículo 1.º

Podrán solicitar su participación todas aquellas empresas, españolas o extranjeras, cuyas actividades pertenezcan al sector de la Feria.

Artículo 2.º

Los expositores deberán:
a) cumplimentar el proyecto de participación.
b) abonar la cantidad prevista.
c) cumplimentar debidamente la ficha de inscripción gratuita en Catálogo.

Artículo 3.º

Las solicitudes de espacio deberán formalizarse a través del modelo oficial. En caso de no abonar los valores correspondientes en los plazos establecidos, el expositor perderá todos los derechos sobre el espacio reservado. En todo caso, no se autorizará la ocupación del espacio de exposición que no haya sido abonado en su totalidad.

Los pagos se realizarán mediante:
— cheque bancario conformado
— metálico
— transferencia bancaria a nuestro favor

Artículo 4.º

La adjudicación de espacio por riguroso orden de solicitud, será determinada por el Comité Ejecutivo de acuerdo con las actividades.
Tarifas de ocupación y servicios

Artículo 5.º

El canon de ocupación incluye en todos los casos:
— ocupación del espacio asignado durante los días del montaje, celebración y desmontaje de la Feria.
— derechos de conexión eléctrica.
— mención en el catálogo oficial de la Feria.
— Catálogo Oficial de la Feria
— tarjetas de expositor
— invitaciones

Artículo 6.º

El canon de ocupación no incluye las contraprestaciones de consumo de energía, decoración interior, mobiliario, jardinería, limpieza diaria del espacio ocupado y otros posibles servicios.
Condiciones de montaje, exposición, visita y desmontaje

Artículo 7.º

El horario de montaje será continuo de 8,00 a 20,00 horas. Los espacios podrán ser ocupados desde el día anterior a la apertura de la Feria. Fuera de este día y horario, no será posible el acceso de expositores y montadores.

Artículo 8.º

Todos los espacios estarán convenientemente numerados para su identificación, de acuerdo con el plano oficial.

Artículo 9.º

La planta de exposición tiene una limitación de 500 kilos por metro cuadrado.

Artículo 10

Los embalajes deberán ser retirados por los expositores antes de las 20,00 horas de la víspera de la apertura.

Artículo 11 ...

Artículo 12 ...

1. *Para leer y comprender*

a) *Indique en qué artículo se establecen:*

1. las condiciones de pago
2. las condiciones para participar
3. los sectores profesionales que pueden participar
4. el período de ocupación del stand
5. la forma de adjudicación del espacio
6. organización y características del montaje
7. los servicios no incluidos en la cuota de reserva de espacio
8. los servicios incluidos en la cuota de reserva de espacio

b) *Busque en el texto la forma que se utiliza para expresar:*

1. participantes profesionales en la exposición
2. rellenar los datos para la inscripción
3. reserva de stand
4. pagar la cuota de participación en la Feria
5. con dinero
6. de acuerdo con el orden de llegada de la petición
7. hay que preparar el stand antes que se inaugure la Feria
8. hay que tener en cuenta las limitaciones de peso

c) *Tome nota de todos los puntos que tendrá que tener en cuenta para hacer la reserva de espacio en la Feria y las condiciones para la instalación del stand, que deberá respetar.*

2. *Para hablar*

a) **Por parejas: Preparen las preguntas y las correspondientes respuestas para cumplimentar esta ficha de inscripción.**

---

expoLINGUA

Remitir a la mayor brevedad a:
EXPOLINGUA
C/. Bolivia, 36 - Bajo A
28016 MADRID
Tf.: (91) 259 12 74
Télex: 27014 FACTI E
Telefax: (91) 2500983

INSTITUCION O EMPRESA

Denominación .... CIF o DNI ....

Domicilio ....

Distrito postal .... Ciudad .... País ....

Persona a contactar ....

Teléfono .... Télex .... Telefax ....

Cargo en la empresa e institucion ....

Nombre y dirección del representante en España (sólo para extranjeros) ....

---

b) **La organización de la feria ha recibido ya su ficha de inscripción y una persona llama para completar la ficha de reserva de espacio. Por parejas: preparen la conversación.**

FICHA A CUMPLIMENTAR POR LA ADMINISTRACION DE EXPOLINGUA

Superficie

Largo

Ancho

Precio espacio

Suplemento acceso

Suplement. dos caras

Consumo energía

Seguros

Inscrip. suplementaria catálogo

Publicidad catálogo

Otras cuotas congreso

Salas de conferencias

Suma

Iva 12%

Cantidad total

+ =

Fecha de apertura del expediente

Cantidad recibida

Resto

---

c) **En grupos: traten de recordar todas las condiciones que deberán cumplir para participar en la Feria, y a continuación, un portavoz hace un resumen para toda la clase.**

3. Para practicar

a) Conteste a estas preguntas, de acuerdo con las condiciones establecidas por la organización de la Feria:

1. ¿Quiénes podrán participar en ella? ....
2. ¿Cuáles son las condiciones generales de admisión? ....
3. ¿Cómo deberán hacer la solicitud? ....
4. ¿Se puede hacer el abono por banco? ....
5. ¿Qué servicios tendrán que pagar aparte? ....
6. ¿En qué momento deberán instalarse? ....
7. ¿Cómo reconocerá cada expositor su stand? ....
8. ¿Qué se establece respecto a la limpieza antes de la inauguración y en el transcurso de la Feria? ....

b) Escriba una frase con:

1. abonar la cantidad ....
2. plazo establecido ....
3. Comité Ejecutivo ....
4. montaje y desmontaje de la Feria ....
5. invitaciones ....
6. consumo de energía ....
7. limitaciones de peso ....
8. embalajes ....

c) Escriba con letra estos datos:

15 % de IVA ....
1/2 día ....
300 kg ....
cta. cte. ....
0,80 ptas W/día ....
1/2 página blanco y negro ....
115 mm x 210 mm ....
IVA 12 % ....
20.000 ptas/m^2 ....

d) Escriba de otra manera:

1. dieciséis centímetros cúbicos ....
2. cincuenta y dos kilos y trescientos gramos..
3. por centímetro cuadrado...
4. le rebajo el veinte por ciento ....
5. la tarifa es sesenta mil pesetas la media página......................................
6. ¿a cómo es el metro cuadrado? ....

e)   **Su empresa está interesada en reservar una sala de proyecciones para uno de los días de la Feria. Con los datos que verá a continuación, escriba una carta a la organización para hacer la reserva y solicitar precios y otros detalles.**

— sala con capacidad para 250/300 personas
— medio día (el día 10 de abril, por la tarde)
— micrófonos de mesa, micrófonos móviles, amplificadores, grabación, proyección de diapositivas, retroproyectores, etc.

4.   *Y para terminar*

a)   **Por parejas: describan oralmente esta maqueta de recinto ferial: significado de los símbolos, ubicación de los servicios que se ofrecen, dimensiones de los pabellones, etc.**

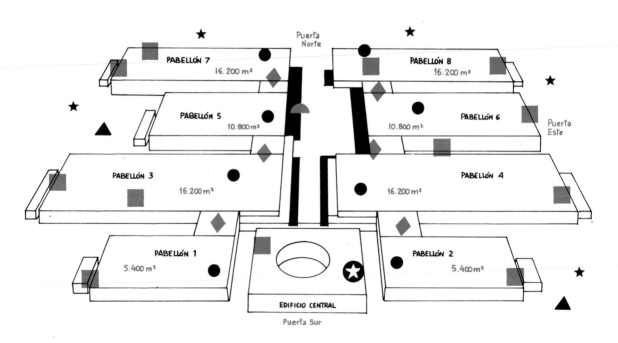

● 97.200 m² de Exposición Cubierta repartidos en ocho pabellones con un completo servicio de mantenimiento.

▲ 30.000 m² de Exposición Exterior para complementar el área de Exposición Cubierta.

★ Un total de 14.250 plazas de parking diferenciadas para expositores, visitantes, camiones y autobuses rodean el conjunto del Parque Ferial.

◆ Seis Restaurantes permitirán elegir entre seis tipos distintos de cocina a la carta.

■ 14 Cafeterías-Autoservicio distribuidas entre los Pabellones y el Edificio Central.

✪ En el Edificio Central se encuentran los Auditorios, Salas de Reuniones, Centro de Congresos, Servicios Centrales de IFEMA y a través del mismo se accede al área Comercial y de Servicios.

◗ Área Comercial y de Servicios en el centro del Parque Ferial.

b) *Traduzca al español estas condiciones de participación:*

42. Frankfurter
Buchmesse
3.-8. Oktober

Bedingungen für
die Beteiligung
Preisliste

Die Preisliste ist Bestandteil
der Bedingungen der Frankfurter Buchmesse 1990. Die
darin genannten Preise sind
verbindlich und verstehen sich
zuzüglich 14 % Mehrwerts-
teuer.

1. Mietpreise
(Vgl.§ 9.1.)
Typ A 2   x 2m*DM   825,—
Typ B 2   x 4m DM   2 975,—
Typ C 2   x 6m DM   5 470,—
Typ D 2   x 8m DM   7 110,—
Typ E 2   x 10m DM   9 225,—

2. Elektroanschlüsse
Elektroanschlub ist obligato-
risch. Jeder Stand erhält auto-
matisch einen Anschlub sowie
eine Steckdose. Die Berech-
nung erfolgt zusammen mit
der Standmiete.

42nd Frankfurt
Book Fair
3-8 October

Conditions of
Participation
Price List

The price list is part of the
Conditions of Participation of
the Frankfurt Book Fair 1990.
The prices mentioned below
are binding. Please add 14 %
VAT to these prices.

1. Rental fee
(see.§ 9.1.)
Type A 2 x 2m*DM   825,—
Type B 2 x 4m DM 2,975,—
Type C 2 x 6m DM 5,470,—
Type D 2 x 8m DM 7,110,—
Type E 2 x 10m DM 9,225,—

2. Electricity supply
Connection to the main electricity supply is obligatory.
Each stand will have the basic
connection as well as one po-
wer-point. They will be invoi-
ced together with stand rental
fee.

42e. Foire du Livre
de Francfort
3-8 octobre

Conditions de
Participation
Liste des Prix

La liste des prix fait partie des
Conditions de Participation
de la Foire du Livre de Francfort 1990. Les prix mentionnés
ci-dessous sont des prix hors
taxe fixes, à ceux-ci vient
s'ajouter 14 % T.V.A.

1. Prix de location
(cf.§ 9.1.)
Type A 2 x 2m*DM 825,—
Type B 2 x 4m DM 2 975,—
Type C 2 x 6m DM 5 470,—
Type D 2 x 8m DM 7 110,—
Type E 2 x 10m DM 9 225,—

2. Installations électriques
L'installation électrique est
obligatoire. Chaque stand sera
équipé automatiquement avec
un raccordement principal et
une prise de courant. La factu-
ration est fait en même temps
que celle du loyer de stand.

C | TRANSPORTE Y FACTURACIÓN

TRANSEUROPA SERVICIOS FERIALES
Y TRANSPORT ENGINEERING, S. A.

Ronda San Pedro, 17, 2.º, 2.ª
Tels. 317 85 05-317 86 85
Télex 81036 TSTE E
Fax 318 02 71
08010 Barcelona

INSTRUCCIONES DE TRANSPORTE

1. Documentación

Deberá obrar en nuestras oficinas antes del día 12-9-90, tanto si
utilizan un cuaderno ATA como en caso de exportación temporal mediante factura proforma. En este caso necesitaremos:

* una factura por sextuplicado extendida a:

> Nombre de su Empresa
> Stand:
> Feria: **Buchmesse'90 Frankfurt**

especificando: tipo de mercancía, número de serie en caso de máquinas, valor a efectos estadísticos, pesos y dimensiones de los bultos y mencionando si es una **exportación temporal** o **exportación definitiva.**

* una lista de contenido si hay más de 4 ó 5 bultos.

2. Embalajes

1. Teniendo en cuenta que los mismos embalajes serán utilizados para el transporte de retorno, deberán ser suficientemente consistentes.
    En caso de máquinas enviadas sin embalajes y trincadas sobre camión, les aconsejamos que protejan las mismas con plástico u otro material para evitar posibles daños durante el transporte, ya que las compañías de seguros exigen un mínimo de protección.

2. Las marcas deberán ser rotuladas en los laterales:

> Nombre de su Empresa
> Stand:
> Feria: **Buchmesse'90 Frankfurt**
> e indicar el número de la caja/número de bultos totales.

3. Entrega

1. A menos que se haya acordado una carga directa en su fábrica, las mercancías deberán ser entregadas en nuestro almacén antes del 12-9-90 como fecha tope:

> **Organización Transeuropa, S. A.**
> Polígono Pratense
> Carrer 100, n.º 20
> **El Prat de Llobregat**

2. Para evitar confusiones, rogamos lleven un albarán de entrega indicando **Transeuropa Servicios Feriales/Feria.**

1.   Para leer y comprender

a)   Responda Verdadero o Falso, dando razones:

1. La documentación tiene que llegar antes del 12 de septiembre de 1990.

2. Hay que enviar a la empresa de transportes dieciséis copias de la factura proforma.
3. Solamente hay que enviar la factura y los bultos.
4. Es conveniente proteger las mercancías con un buen embalaje.
5. La empresa de transportes aconseja que se adjunte una nota de entrega.

b) *Tome nota de todas las expresiones que se utilizan para:*

1. precisar instrucciones
2. dar consejo
3. expresar ruegos

c) *Clasifique los términos siguientes por su relación con:*

	TRANSPORTE	DOCUMENTOS COMERCIALES	EMPAQUETAMIENTO
Cuaderno ATA....			
Factura...............			
Factura proforma			
Bulto...................			
Embalaje.............			
Caja....................			
Albarán...............			

d) *Con ayuda de un diccionario, explique las diferencias entre:*

1. exportación temporal/definitiva
2. factura proforma/albarán
3. factura/recibo
4. número de serie/número de bultos
5. aconsejar/rogar
6. exigir/indicar
7. expresar acuerdo/desacuerdo

2. *Para hablar*

a) *En grupos: transmitan a sus compañeros las instrucciones de la empresa de transportes en relación con la documentación, el embalaje y la entrega. Pueden utilizar:*

Es indispensable	*Deben*	*Hay que*
Es conveniente	*Tienen que*	*Les recomendamos que*

b) *Por parejas: preparen la conversación con un empleado de la empresa de transportes, solicitando instrucciones precisas para enviar las mercancías.*

c) *Por parejas: Completen el formulario con los datos del recuadro.*

Rogamos nos devuelvan por fax este formulario debidamente cumplimentado:

Tipo de mercancía:

- Valor mercancía ....
- N.º de bultos ....
- Peso bruto ....
- Volumen aprox. ....
- Tipo de embalaje ....

Despacho de aduana:

- Cuaderno ATA ....
- Exportación temporal ....
- Exportación definitiva ....

Seguro...
Entrega del material en nuestro almacén:
- Fecha aprox.: 12-9-90 (fecha tope)
....

Entrega en feria:

- Fecha ....
- Hora ....

3. Para practicar

a) *Complete estas instrucciones con los términos que le damos:*

- Valor mercancía: 178.600 ptas.
- N.º de bultos: 6
- Peso bruto: 60,296 kg
- Volumen aprox.: 0,157 m_3
- Tipo de embalaje: cajas de cartón

Exportación definitiva

Entrega en feria:
- Fecha: 3-X-90
- Hora: 8 A.M.

1. La documentación .... llegar antes del .... diez.
2. Los .... tienen que estar .... embalados.
3. El .... de la empresa debe aparecer en los laterales de los ....
4. La mercancía .... ser .... en nuestros almacenes.
5. Las máquinas .... llevar algún tipo de ....

debe • deben • nombre • bultos • bien • día
• protección • entregada • paquetes

b) *Transforme las instrucciones del ejercicio anterior en consejos.*

Por ejemplo: *La documentación debe llegar*
Le aconsejamos que envíe la documentación
Le recomendaría que enviase la documentación

c)   ***Transforme los siguientes mandatos en ruegos o peticiones:***

1.   Llámenos por teléfono/pedir
2.   Confírmeme la reserva del stand/rogar
3.   Localice la mercancía extraviada/exigir
4.   Envíele la documentación lo antes posible/pedir
5.   Marque la mercancía convenientemente/rogar

d)   ***De acuerdo con la factura que le adjuntamos, conteste a las siguientes preguntas:***

1.   ¿Cómo se llama la empresa que emite la factura?
2.   ¿Dónde tiene la sede social?
3.   ¿Qué significa CIF?
4.   ¿Cuándo se ha emitido la factura?
5.   ¿Por qué concepto es la factura?
6.   ¿Qué significa S.E.u.O.?
7.   ¿Cómo se va a pagar?

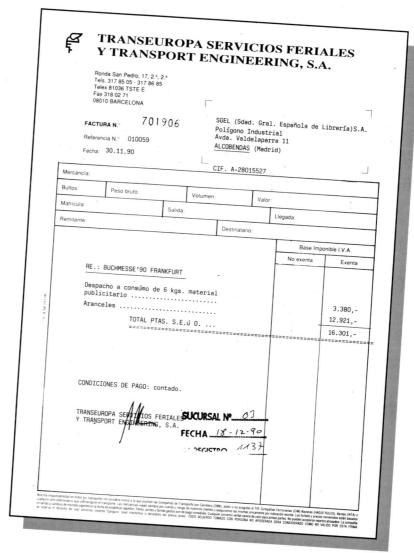

e) **Corrija esta carta, poniendo las mayúsculas y los signos de puntuación y acentuación que proceda:**

señorita carmen linares
transeuropa servicios feriales

Madrid 12 de septiembre de 1990

señorita Carmen

de acuerdo con tus indicaciones adjunto te envio la relacion de material con destino a la feria de francfort

como ya te indique se trata de una exportación definitiva como hicimos el año anterior te lo recuerdo para que hagas los tramites pertinentes

saludos

fermin navarro
ediciones

4. Y para terminar

a) **Señale cuál de estos documentos es una factura, un albarán y un recibo. Explique las diferencias que hay entre los tres y los datos que deben contener.**

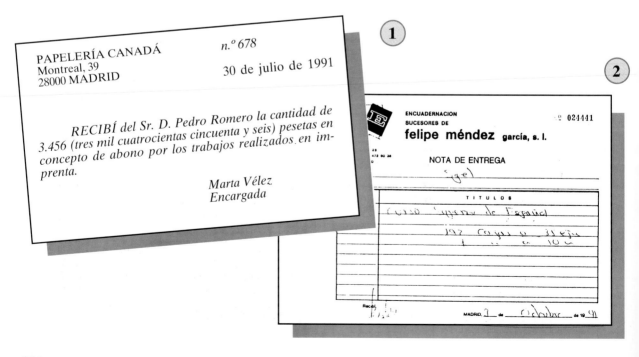

PAPELERÍA CANADÁ n.º 678
Montreal, 39
28000 MADRID 30 de julio de 1991

RECIBÍ del Sr. D. Pedro Romero la cantidad de 3.456 (tres mil cuatrocientas cincuenta y seis) pesetas en concepto de abono por los trabajos realizados en imprenta.

Marta Vélez
Encargada

1

2

ENCUADERNACION
SUCESORES DE
felipe méndez garcía, s. l.

N.º 024441

NOTA DE ENTREGA

TITULOS

MADRID, ___ de _____ de 19__

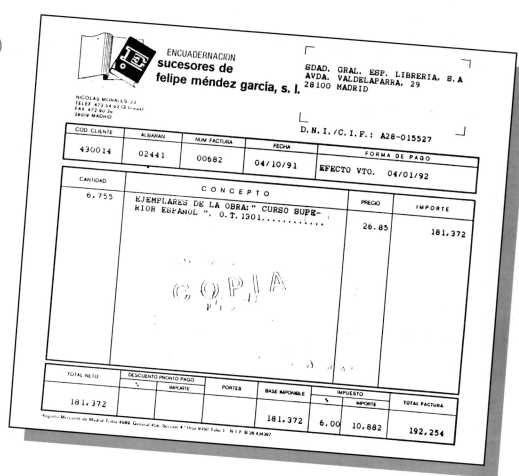

(3)

ENCUADERNACION
sucesores de
felipe méndez garcía, s. l.

NICOLAS MORALES 23
TELEF 472 54 62 (3 líneas)
FAX 472 90 36
28010 MADRID

SDAD. GRAL. ESP. LIBRERIA, S.A
AVDA. VALDELAPARRA, 29
28100 MADRID

D. N. I. /C. I. F.: A28-015527

COD CLIENTE	ALBARAN	NUM FACTURA	FECHA	FORMA DE PAGO
430014	02441	00682	04/10/91	EFECTO VTO. 04/01/92

CANTIDAD	CONCEPTO	PRECIO	IMPORTE
6,755	EJEMPLARES DE LA OBRA:" CURSO SUPE- RIOR ESPAÑOL ". O. T. 1301.............	26.85	181,372

COPIA

TOTAL NETO	DESCUENTO PRONTO PAGO		PORTES	BASE IMPONIBLE	IMPUESTO		TOTAL FACTURA
	%	IMPORTE			%	IMPORTE	
181,372				181,372	6.00	10,882	192,254

Registro Mercantil de Madrid Tomo 4989 General 456 Seccion 4ª Hoja 8050 Folio 1   N.I.F B 28 434397

---

b) *¿Cuántas copias envía cuando le piden los documentos...?*

1. por duplicado
2. por triplicado
3. por cuadriplicado
4. por quintuplicado
5. por sextuplicado

c) *Calcule estos precios en dólares, marcos, francos franceses, libras esterlinas o en la moneda de su país, de acuerdo con las cotizaciones que le proporcionamos:*

— 134 pesetas
— 34.120 pesetas
— 10.000.000 de pesetas
— 450.000 pesetas

Mercado de divisas

DIVISAS	Comprador — Pesetas	Vendedor — Pesetas
1 dólar EE. UU.	110,008	110,330
1 ecu	127,952	128,336
1 marco alemán	62,252	62,440
1 franco francés	18,339	18,395
1 libra esterlina	184,041	184,593
100 liras italianas	8,359	8,385
100 francos belgas	302,447	303,355
1 florín holandés	55,248	55,414
1 corona danesa	16,115	16,163
1 libra irlandesa	166,518	167,018
100 escudos portugueses	72,728	72,946
100 dracmas griegas	56,810	56,980
1 dólar canadiense	95,288	95,574
1 franco suizo	71,778	71,994
100 yenes japoneses	80,199	80,439
1 corona sueca	17,198	17,250
1 corona noruega	15,977	16,025
1 marco finlandés	25,870	25,948
100 chelines austriacos	884,172	886,828
1 dólar australiano	85,261	85,517

Fuente: Banco de España

Actos e informes de la empresa

A | PREPARACIÓN DE LAS REUNIONES

Una parte esencial de la vida de la empresa son las reuniones, en las cuales la secretaria tendrá distintas responsabilidades. Por una parte, corresponde a la secretaria, antes de la celebración de uno de estos actos, la organización, convocatoria y preparación de la documentación, así como el control e instrucciones previas para un perfecto desarrollo. En el transcurso de la reunión, tendrá que tomar notas para la elaboración de las actas y cuidará que todo esté en orden. Posteriormente, se encargará de la elaboración del borrador de las actas y, en algunos casos, de la correspondencia y seguimiento de los acuerdos adoptados en las reuniones.

Aunque a veces la distinción no está muy clara, las reuniones se pueden clasificar en formales e informales. Del nivel de formalidad dependerá el procedimiento que se va a seguir.

También hay que distinguir entre las reuniones que tienen lugar en relación con la gestión empresarial y las que se celebran con clientes, proveedores o trabajadores.

Tipos de reunión

Junta de Accionistas	Reunión de Departamento	Reunión de negocios
Consejo de Administración	Comité de Empresa	Reunión con proveedores
Consejo de Gobierno	Grupo de Trabajo	Reunión con clientes
Comité Ejecutivo	Reunión de trabajo	Reunión con instituciones públicas
	Análisis de resultados	Reuniones profesionales
	Formación de empleados	Congresos
	Casos especiales	Seminarios
		Jornadas

Una reunión informal requerirá poca preparación y poca documentación, sin embargo, un acto formal exige la notificación de éste a todas aquellas personas que tienen que asistir, mediante el envío de una convocatoria en la que figurarán el asunto de la reunión, el orden del día, el lugar, la fecha y la hora, así como quién convoca la reunión.

El contenido del orden del día variará en consonancia con el tipo de reunión, ya que refleja los intereses de la organización que hace la convocatoria, pero suele seguir este orden:

1. Disculpar ausencias.
2. Lectura y aprobación, si procede, del acta anterior.
3. Asuntos pendientes/Informes.
4. ⎫
5. ⎬ Puntos concretos de la reunión.
6. ⎭
7. Propuestas.
8. Ruegos y preguntas.

1. Para leer y comprender

a) Tome nota y conteste a los puntos siguientes:

1. Responsabilidad de la secretaria antes, durante y después de una reunión.
2. Clasificación de las reuniones.
3. Requisitos de una reunión formal.
4. Explicación de los apartados del orden del día.
5. Relación entre convocatoria, orden del día y actas de una reunión.

b) Subraye:

1. Los verbos que indican obligación o responsabilidad.
2. Las conjunciones adversativas.

c) **Diga situaciones para ejemplificar:**

— responsabilidad
— convocatoria
— instrucciones previas
— procedimiento

— proveedor
— notificación
— asuntos pendientes
— propuesta

2. *Para hablar*

a) **Conteste oralmente:**

1. ¿Quién tiene que asistir?
2. ¿Quién hace la convocatoria?
3. ¿Cuándo se va a celebrar?
4. Puntos de la reunión.
5. ¿Dónde se va a celebrar?

b) **En parejas: establezcan el orden correcto y el momento apropiado para hacer los preparativos de una reunión.**

SUTEL, S. A.

Se convoca Junta General Extraordinaria de Accionistas, en el domicilio social, calle de Lugo, número 8, el próximo día 16 de agosto, a las 20 horas en primera convocatoria, con el siguiente Orden del Día:

1. Examen y aprobación del informe de gestión año 1991.
2. Cambio de domicilio social.
3. Ruegos y preguntas.

El Administrador

	ANTES	REUNIÓN	DESPUÉS
— redactar borrador del acta			
— comprobar preparativos..			
— confirmar fecha...............			
— tomar notas....................			
— redactar y enviar orden del día...........................			
— redactar y enviar convocatoria........................			
— enviar copia del acta......			
— confirmar equipo y mobiliario...........................			
— preparar documentación para la reunión..............			
— preparar libro de actas, informes, etc..................			

c) **En parejas: redacte con su compañero la convocatoria de una reunión en la que se van a tratar varios asuntos importantes para la clase. A continuación, se leen las distintas convocatorias.**

3. *Para practicar*

a) **Acaba de celebrarse una reunión en la que se han discutido asuntos importantes para su grupo. Escriba sus conclusiones utilizando las conjunciones:** *pero, aunque, sino, no obstante, sin embargo, mas, empero, antes bien.*

b) **Escriba frases con cada uno de los verbos siguientes, expresando obligación en el futuro:**

— corresponder (a alguien)
— cuidar de
— encargarse de

— requerir
— reflejar
— instruir

c) **Con ayuda de un diccionario, diga los sustantivos correspondientes a estos verbos:**

— tener la responsabilidad
— ser esencial
— distinguir

— celebrar
— convocar
— clasificar

d) **Una los términos que se utilizan en las reuniones, columna A, con la definición de la columna B:**

A

1. Aplazar
2. Enmienda
3. Moción
4. Normas de constitución
5. Quórum
6. Si procede
7. Sine die
8. Someter a votación

B

a) Número mínimo de miembros que han de estar presentes para llevar a cabo un acto.
b) Propuesta presentada en un acto por un ponente.
c) Reglas establecidas por el grupo que organiza la reunión.
d) Decidir continuar el acto otro día, o a otra hora.
e) Modificación o alteración de una moción o artículo.
f) Decidir una cuestión mediante el voto de los presentes.
g) Se puede discutir si se trata de un tema de la reunión o dentro de su autoridad.
h) Posponer una reunión sin determinar la fecha.

e) **Traduzca a su idioma la carta de felicitación que ha recibido su jefe con motivo de su nombramiento de Director General. A continuación, escriba en español la contestación dando las gracias.**

> Estimado amigo:
>
> Le escribo para hacerle llegar mi más sincera felicitación por su reciente nombramiento de Director General.
>
> Me alegro enormemente de que todos sus esfuerzos e iniciativas hayan sido reconocidos, y permítame decirle que nadie merece mejor que usted ocupar ese puesto.
>
> Un fuerte abrazo.

4. Y para terminar

a) Si se fija bien, encontrará los términos correspondientes a las definiciones que le damos, relacionadas con el procedimiento de votación:

1. Cuando un miembro no vota.
2. Votación de viva voz (sí/no).
3. Votación en la que los miembros levantan la mano para expresar su voto.
4. Método por el cual se vota en una papeleta.
5. Cuando todos los miembros votan a favor de una opción y no hay abstenciones.
6. Método para conocer la opinión de una asamblea y llegar a una decisión.
7. Voto emitido por el presidente.

VOTO DE CALIDAD

PAPELETAS

ACLAMACIÓN

A MANO ALZADA

VOTACIÓN

ABSTENCIÓN

UNANIMIDAD

b) Explique a su compañero estos anuncios:

MEDIFUSIÓN, S. A.

La Junta General Extraordinaria y Universal, celebrada el día 12 de junio de 1991, acordó por unanimidad el cambio de su domicilio social a la calle de Budapest, 45, de Barcelona.

Madrid, 2 de julio de 1991.

El Administrador

RECREATIVOS UNIDOS, S. A.

En cumplimiento de lo dispuesto por la vigente Ley de Sociedades Anónimas, artículo 224, se hace público que en la reunión de la Junta Universal de Accionistas, celebrada el 14 de julio de 1991, se acordó por unanimidad transformar la misma en sociedad de responsabilidad limitada, pasando a denominarse Recreativos Unidos, S. L.

CRÉDITO Y CAUCIÓN, S. A.

JUNTA GENERAL DE ACCIONISTAS

El Consejo de Administración ha presentado el Informe de Gestión y las Cuentas Anuales de la Compañía y los estados financieros consolidados de sus Sociedades Filiales, correspondientes al Ejercicio de 1990, auditados por Gestocontrol Auditores. Éste es el 61º Ejercicio de la Compañía.

Aspectos más destacados de las intervenciones del Presidente don Jesús Serra Santamans y del Consejero Delegado don Francisco Carné Canet.

Incremento del negocio

Los ingresos totales de la Compañía han superado en un 21,5 % los del Ejercicio anterior, alcanzando los 24.623 millones de pesetas, de los cuales 2.583 millones corresponden a producto de los fondos invertidos.

Servicio a los Asegurados

Las Insolvencias Provisionales declaradas a la Compañía han duplicado las del año anterior.

Las indemnizaciones satisfechas han ascendido a 13.587 millones de pesetas, con un aumento del 90 %, y se ha superado el millón de clasificaciones crediticias otorgadas.

Capitales propios

Se han destinado 1.418 millones —el 72 % del beneficio neto del Ejercicio— a incrementar los recursos propios, que pasan a ser de 6.408 millones de pesetas, reforzando la solidez financiera de la Compañía.

Independientemente, se ha efectuado una dotación de 871 millones de pesetas a la nueva provisión creada —en adaptación a la Normativa Comunitaria— para la desviación de la siniestralidad.

Aumento de Capital

El Capital Social pasa de 1.000 millones a 1.250 millones a partir del 1 de julio de 1991.

Perspectivas

Las perspectivas de crecimiento del negocio siguen siendo favorables, tanto para el negocio interior como para el exterior, aún cuando en las actuales circunstancias es esencial armonizar la expansión con la rentabilidad y la eficacia de la gestión.

La calidad del servicio, que tratamos de mejorar constantemente, es la clave de nuestro desarrollo.

Madrid, mayo de 1991

1. Para leer y comprender

a) Escoja la respuesta correcta entre las tres propuestas:

1. El Consejo de Administración ha presentado el informe de gestión en:

   a) la Junta General de Accionistas
   b) la Junta Extraordinaria de Accionistas
   c) la Junta General de Obligacionistas

2. Esta empresa se dedica a:
   a) exportación/importación
   b) turismo
   c) seguros

3. El capital social de la empresa pasa de:
   a) 1.500 a 1.750 millones de francos
   b) 1.200 a 1.800 millones de dólares
   c) 1.000 a 1.250 millones de pesetas

4. En la reunión intervinieron:
   a) el portavoz de la empresa y el Consejero Delegado
   b) el Presidente y el portavoz de la empresa
   c) el Presidente y el Consejero Delegado

5. La clave del desarrollo de la empresa radica en:
   a) mejorar la calidad del servicio
   b) aumentar el patrimonio neto
   c) rebajar el capital social

b) *Explique o defina los siguientes términos:*

1. Junta General de Accionistas.
2. Capital social.
3. Consejero Delegado.
4. Sociedades filiales.
5. Informe de Gestión.
6. Ejercicio de 1990.

c) *¿A qué aspectos corresponden estas cifras?*

1. Veinticuatro mil seiscientos veintitrés millones.
2. Un aumento del noventa por ciento.
3. Mil cuatrocientos dieciocho millones.
4. El setenta y dos por ciento.

2. *Para hablar*

a) *Lectura en voz alta del artículo sobre la Junta de Accionistas del apartado anterior.*

b) *Por parejas: tomen notas de los acuerdos y de lo que informó el portavoz para expresarlo en primera persona del singular o del plural (estilo directo).*

El Presidente del Consejo de Administración y el Consejero Delegado de **Bertra, S. A.,** dimitieron ayer de sus cargos, en el curso de la reunión de la Junta General de Accionistas. En dicha reunión se acordó reducir el capital a cero y efectuar una ampliación simultánea de 2.000 millones de pesetas.

Según informó un portavoz de la empresa, estas dimisiones estaban previstas con anterioridad a la citada reunión. En ella se acordó reducir el capital a cero, con el fin de cancelar las deudas y las reservas contraídas, y efectuar una ampliación, en la que entrarán nuevos socios.

3. Para practicar

a) Indique cuál de las tres frases es la que está construida correctamente:

1. En la Junta General de Accionistas se acordó reducir el capital a:
   a) a cero pesetas
   b) en cero pesetas
   c) bajo cero pesetas

2. Las dimisiones estaban previstas:
   a) con anterioridad
   b) en anterioridad
   c) por anterioridad

3. Los acuerdos se tomaron:
   a) por el curso de la reunión
   b) en el curso de la reunión
   c) bajo el curso de la reunión

4. A consecuencia del mal tiempo, es posible que la Junta:
   a) tuviera retraso
   b) tendría retraso
   c) tenga retraso

5. Las perspectivas de la empresa siguen siendo:
   a) favorables
   b) tanto favorables
   c) aunque favorables

6. Desconozco la hora a la que:
   a) se celebrará la reunión de mañana
   b) se habrá celebrado la reunión de mañana
   c) se había celebrado la reunión de mañana

b) Escriba una frase con cada uno de estos términos:

— consejero
— obligacionista
— ejercicio manual
— solidez financiera

— convocatoria
— perspectivas
— recursos
— inversión

c) Complete las frases siguientes con las preposiciones adecuadas:

1. La mitad .... los trabajadores .... la empresa ha recibido ya la convocatoria .... asistir a la reunión.

2. Ayer anunciaron que el Curso .... Formación comenzará el día 8 .... septiembre.

3. La Junta Extraordinaria aprobó una ampliación .... capital .... 2.000 millones .... pesetas.

4. La convocatoria .... elecciones estaba anunciada .... varias semanas .... antelación.

5. La ampliación se acordó .... el curso .... la reunión .... el mes pasado.

d) *Exprese por escrito exactamente lo que se dijo en la reunión (estilo directo):*

1. Se recibieron disculpas por las ausencias del señor Jiménez (de viaje) y de la señorita Lafont (enferma).

2. El Director se refirió al punto tres del Orden del Día, en relación con el Curso de Formación para Secretarias.

3. El Secretario hizo un breve comentario acerca de la oportunidad de este curso.

4. El representante de los trabajadores aclaró que el curso se debería llevar a cabo en horario de trabajo.

5. El Jefe de Personal propuso que se llevara a cabo en la propia empresa.

4. Y para terminar

a) *Elabore un breve informe sobre la cotización del ECU, en relación con distintas monedas, exponiendo las que de éstas se han mantenido, las que han bajado o las que han subido en el período de tiempo del 2 al 26 de julio de 1991.*

Cotización del ECU (2-7-91)	
Franco belga-lux	42,28
Marco alemán	2,05
Florín holandés	2,31
Libra esterlina	0,68
Corona danesa	7,93
Franco francés	6,96
Lira italiana	1.527,27
Libra irlandesa	0,76
Dracma griega	224,66
Peseta española	128,59
Escudo portugués	179,86
Dólar estadounidense	1,12
Franco suizo	1,76
Corona sueca	7,41
Corona noruega	8,00
Dólar canadiense	1,28
Chelín austriaco	14,46
Marco finlandés	4,87
Yen japonés	155,76

Cotización del ECU (26-7-91)	
Franco belga-lux	42,25
Marco alemán	2,05
Florín holandés	2,31
Libra esterlina	0,69
Corona danesa	7,93
Franco francés	6,98
Lira italiana	1.531,75
Libra irlandesa	0,76
Dracma griega	225,34
Peseta española	128,60
Escudo portugués	175,97
Dólar estadounidense	1,17
Franco suizo	1,79
Corona sueca	7,43
Corona noruega	8,00
Dólar canadiense	1,34
Chelín austriaco	14,44
Marco finlandés	4,94
Yen japonés	162,74

A **SECTOR AUTOMÓVILES**
Las ventas superan las previsiones

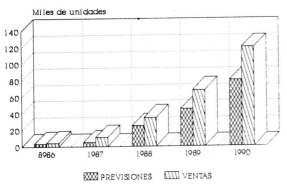

B **Ventas**
Primer semestre

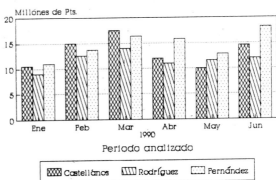

INFORME SOBRE VENTAS (PRIMER SEMESTRE)

Como se puede observar en el gráfico adjunto, el índice de ventas en el sector del automóvil para el año 1990 ha superado ampliamente el de las previsiones. Es evidente que este auge se debe, de una parte, a una serie de factores coyunturales, tales como el fuerte crecimiento económico experimentado por la economía española, y la evolución de la empresa comercializadora de automóviles, creada en el año 1986, y de otra, a la eficaz campaña de marketing directo llevada a cabo gracias a los esfuerzos conjuntos de la sociedad de consultoría **Planificación y Seguimiento, S. A.,** y la propia de la empresa.

1. Para leer y comprender

a) Responda Verdadero o Falso, de acuerdo con los gráficos y el informe:

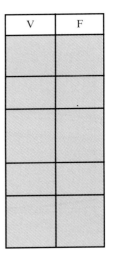

	V	F
1. Según el gráfico A, en el año 1989 las previsiones superaron a las ventas.		
2. El crecimiento económico ha sido uno de los factores decisivos para aumentar el índice de ventas.		
3. La empresa objeto de las representaciones gráficas y el informe se dedica a la comercialización de electrodomésticos de línea blanca.		
4. Según los gráficos adjuntos, las ventas nunca superaron a las previsiones, sino que se han mantenido igualadas.		
5. La sociedad de consultoría Planificación y Seguimiento, Sociedad Anónima, ha diseñado y realizado una eficaz campaña de marketing directo.		

b) **Explique el significado de:**

1. previsión
2. período analizado
3. gráfico
4. adjunto

5. índice de ventas
6. auge
7. coyuntural
8. campaña

c) **Tome notas para elaborar un resumen con la información que le proporciona el gráfico B: período analizado, mes en que han sido más elevadas las ventas, vendedor que ha alcanzado la cota más alta de ventas y, a la inversa, el mes en que se ha vendido menos y vendedor que mantiene las cotas más bajas de ventas.**

2. *Para hablar*

a) **Elija uno de los gráficos del apartado anterior para explicarlo oralmente.**

b) **Por parejas: compare y comente con su compañero las notas que ha tomado en el ejercicio 1.c).**

c) **Además de los informes orales y escritos, se puede presentar la información sobre la empresa mediante representaciones gráficas o visuales:**

Carteles, gráficos, diagramas, paneles y, últimamente, gráficos hechos por ordenador.

En grupos: comentario sobre las diferencias entre los gráficos A y B, del apartado 1, y los que se presentan a continuación.

C

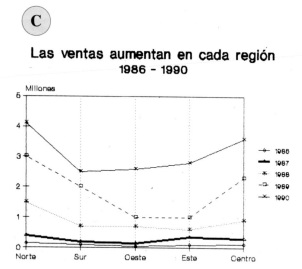

Las ventas aumentan en cada región
1986 - 1990

D

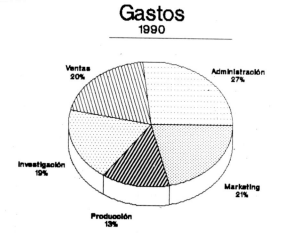

Gastos
1990

3. Para practicar

a) De acuerdo con el gráfico B, complete las siguientes afirmaciones:

1. El vendedor que ha vendido más coches en el mes de junio..........................
2. Castellanos vendió más coches en junio que .... , pero menos que ....
3. El mejor mes de ventas fue...
4. Aunque marzo fue un mes bueno, ... fue mejor.
5. En enero, ... vendió casi tanto como ....

b) Escriba un informe sobre los gastos de 1990 con ayuda del gráfico B.

c) Escriba de otra manera, sin cambiar el significado:

1. Debido a las dificultades económicas...
2. Observando las respuestas del mercado..
3. Es evidente que este incremento se debe..
4. Sin embargo...
5. Además de esta información...

d) Existen distintos tipos de gráficos: de línea, de barras, de tarta, de elementos, de Gantt, etc. Diga a qué clase corresponden los de esta unidad y qué representa cada uno:

A)...
B)...
C)...
D)...

e) Complete este informe con los datos del recuadro:

> semestre • 57.376 • 13,7 % • camiones •
> autocares • 49.514 camiones • se vendieron •
> meses • vehículos • 1990 • importadores

Las ventas de .... bajaron un 13,7 %. En los seis primeros meses del año

.... un total de .... lo que representa un .... menos que los

.....................registrados en el primer .... de .... según datos

de la Asociación de .... de .... de ....

Sin embargo, las ventas de autobuses y .... aumentaron en los

seis primeros ....del año.

4. Y para terminar

a) **Compare y comente con su compañero este cuadro de temperaturas.**

España	M.	m.	A.	Iberoamérica	M.	m.	A.	Extranjero	M.	m.	A.
Santander.......	24	15	D	Bogotá............	16	3	Ll	Atenas...........	30	17	D
Santiago.........	23	11	D	Buenos Aires	13	4	D	Berlín............	25	17	C
Segovia...........	31	14	C	Caracas...........	20	30	D	Bruselas........	23	14	C
Sevilla.............	35	21	D	Guatemala.....	26	17	C	Copenhague.	18	9	C
Soria...............	29	11	P	La Habana.....	31	24	C	Estocolmo.....	20	12	C
Tarragona......	27	19	P	La Paz............	14	5	D	Francfort.......	23	11	P
S. C. Tenerife	29	20	D	Lima...............	20	16	D	Ginebra.........	25	13	P
Teruel.............	30	16	D	México...........	25	14	D	Lisboa...........	29	15	P
Toledo............	35	18	D	Miami.............	31	27	Ll	Londres.........	19	11	C
Tortosa...........	31	19	P	Montevideo...	12	4	D	Manila..........	33	25	C
Valencia.........	30	16	D	Panamá..........	32	22	C	Moscú...........	18	10	P
Valladolid......	31	13	P	Quito..............	20	9	C	Nueva York..	23	15	D
Vigo................	27	14	D	R. de Janeiro.	28	20	C	París..............	21	12	C
Vitoria............	28	16	P	San Juan........	30	24	C	Roma.............	26	18	D
Zamora..........	29	14	P	Santiago	16	3	D	Tokio.............	19	11	C
Zaragoza........	30	18	C	Sto. Domingo	33	23	C	Viena.............	20	14	P

b) **¿Podría indicar el significado de...?**

M   m   A   D   C   Ll   P

c) **En grupos: Elijan cinco ciudades de la columna de Iberoamérica y cinco de la del Extranjero para hacer preguntas a sus compañeros sobre ellas (país, continente, lengua, monumentos, etc.).**

Sección de consulta

UNIDAD 1

Diccionario A

Cierre: fórmula utilizada para finalizar un escrito.
Cuerpo: conjunto de lo que se dice en un escrito.
Encabezamiento: conjunto de palabras con que se comienza un escrito.
Mecanografiar: escribir con máquina.
Redactar: expresar por escrito.
Taquigrafía: técnica de escritura rápida (signos y abreviaturas).

Diccionario B

Acusar recibo: avisar de la llegada de un documento o mercancía.
Dictáfono: aparato que registra y reproduce dictados y conversaciones.
Pedido: encargo de mercancías que se hace a un fabricante o vendedor.
Presentación: exposición de las cualidades de una persona o producto.
Reclamación: petición o exigencia que se expresa por un fallo o avería de un aparato o mercancía.
Solicitud: petición oral o escrita.
Queja: expresión de disconformidad por un servicio o producto.

Diccionario C

Cortesía: demostración o expresión de respeto o afecto.
Cursar una invitación: enviar una tarjeta para asistir a un acto.
Lista de direcciones: enumeración de personas y sus datos.
Personalidades: personas que destacan en una actividad o en un ambiente social.
Protocolo: ceremonial establecido por decreto o costumbre.
Telefacsímil: telefax, fax.

Solicitar/dar información:

> *Necesito información sobre...*
> *¿Podría decirme/indicarme...?*
> *Le ruego se sirva remitirme información acerca...*
> *Tengo el gusto de informarle...*
> *Queremos poner en su conocimiento...*
> *En relación con la información solicitada...*

Ofrecer servicios

> *Disponemos de...*
> *Les ofrecemos una gama de...*
> *Tenemos el gusto de poner a su disposición...*

Explicar razones, causas, motivos:

> *Ya que considero...*
> *Debido a razones de economía...*
> *Esa es la razón por la que...*

Describir características/cualidades:

> *Tiene siempre una forma preestablecida.*
> *Es una de las claves del éxito.*

Expresar obligaciones:

> *Tiene que reunir las características de...*
> *Debe producir una impresión grata.*
> *Hay que conseguir un crédito.*

Hacer comparaciones:

> *La carta comercial es la más empleada.*
> *... para atenderle mejor.*
> *El télex no se emplea tanto como la carta.*

Adjetivos:

El adjetivo concuerda en género y número con el sustantivo al que acompaña. Los adjetivos *superior, inferior, exterior* e *interior* tienen la misma forma para el masculino y femenino.

Los adjetivos que indican *nacionalidad, color, religión, política* y *cualidades físicas* van detrás del sustantivo: *es una oficina amplia.*

Otras posibilidades: *a)*   detrás del nombre (especificativo):
> *la explicación larga y detallada*

b)   delante del nombre (para realzar la cualidad):
> *la compleja organización.*

c)   detrás del verbo (predicado):
> *la conferencia era interesante*

Grados de comparación:

a)   Igualdad: **tan como / tanto como**
> *Este escrito está tan claro como el anterior*
> *El télex no se emplea tanto como la carta*

b)   Superioridad: **más que**
> *La empresa es más importante que el dinero*

c)   Inferioridad: **menos que**
> *Este ordenador es menos potente que el otro*

d) Formas irregulares:

Positivo	Comparativo	Superlativo
bueno	mejor	óptimo/el mejor
malo	peor	pésimo/el peor
pequeño	menor	mínimo/el menor
grande	mayor	máximo/el mayor

Verbo

El presente de indicativo

a) Indica que la acción ocurre en el momento de hablar: *tenemos el gusto de...*

b) Valor de presente habitual: *trabajo en una oficina que está cerca.*

c) Expresa experiencia: *la formación ayuda en el trabajo.*

d) Referencia a acción pasada o futura: *¿cómo envías esa carta? el jefe llega y comenta...*

e) Presente de mandato: *vas a la imprenta y recoges el paquete.*

Perífrasis con infinitivo

a) **Tener que + infinitivo:** expresa obligación, a veces inmediatez. *Tengo que terminar este informe.*

b) **Deber + infinitivo:** expresa obligación moral. *Debo preparar la reunión de mañana.*

c) **Haber que + infinitivo:** expresa obligación, con sentido impersonal y en tercera persona del singular: *Hay que reparar el aire acondicionado.*

Memoria

Abreviaturas (ver apéndice)

A.R.: Alteza Real
Dr.: Doctor
Excmo.: Excelentísimo
Fdo.: Firmado
Ilmo.: Ilustrísimo
izq./izqº: izquierdo

Sr. D.: Señor Don
Sra. D.ª: Señora Doña
Sres.: Señores
Srta.: Señorita
S.M.: Su Majestad
V.M.: Vuestra Majestad

Acentuación

a) cuando la palabra lleva el acento en la última sílaba (aguda) y termina en vocal o consonante **n/s:** *aquí, comunicación, además.*

b) cuando el acento va en la penúltima sílaba (llana) y termina en consonante que no sea **n/s:** *lápiz.*

c) cuando la palabra lleva el acento en la antepenúltima sílaba o cualquier sílaba anterior (esdrújula o sobreesdrújula): *rápido, técnico.*

Las siguientes palabras llevan tilde o no, de acuerdo con su función y significado:
aún (adv. de tiempo y de modo) - **aun** (adv. de cantidad y de modo)
dé (verbo dar) - **de** (preposición)
él (pronombre) - **el** (artículo)
más (adv. de cantidad) - **mas** (conjunción adversativa)

mí (pronombre personal) - **mi** (posesivo)
qué (interrogativo/exclamativo) - **que** (relativo)
quién (interrogativo/exclamativo) - **quien** (relativo)
sí (afirmación) - **si** (conjunción condicional)
sé (verbo saber/ser) - **se** (pronombre)
sólo (adverbio) - **solo** (adjetivo)
té (sustantivo) - **te** (pronombre personal)
tú (pronombre personal) - **tu** (posesivo)

Fechas

10 de julio de 1992 (diez de julio de mil novecientos noventa y dos)
10-7-92 (diez del siete del noventa y dos)
10/07/92
   Estamos a diez de julio
   Estamos en el siglo veinte

División de palabras

a)   toda consonante entre dos vocales se agrupa con la segunda: *rá-pi-do.*

b)   dos consonantes entre dos vocales, la primera se agrupa con la vocal anterior y la segunda con la posterior: *im-por-tan-te.*

c)   los grupos consonánticos que llevan *l* o *r* como segundo elemento, no se separan: *in-glés.*

d)   tres consonantes juntas entre dos vocales, se agrupan las dos primeras con la vocal anterior y la tercera con la posterior: *ins-tan-cia.*
   A no ser que la tercera consonante sea *l* o *r,* que forma grupo con la segunda consonante: *ins-truc-ción.*

e)   *ch, ll, rr,* no se separan: *te-cho, mi-llón; pe-rro.*

f)   el sufijo *des-* puede separarse solo o en sílabas (seguido de vocal): *des-ajus-tar, de-sa-jus-tar*

Mayúsculas

Se escribe con mayúsculas:

a)   La primera palabra de un escrito y después de un punto.

b)   Después de interrogación o exclamación, si no hay coma interpuesta.

c)   Después de dos puntos del saludo de las cartas.

d)   Los nombres propios y sus sobrenombres: *Jaime el Conquistador.*
   Títulos y nombres de dignidad: *El Duque de Medinaceli, el Jefe de Gobierno.*
   Instituciones y corporaciones: *El Ministerio de Asuntos Exteriores.*

e)   El artículo que acompaña al nombre de una ciudad: *El Cairo.*

f)   Los títulos de obras: *Don Quijote.*

g)   Los tratamientos, especialmente si van en abreviatura: *Ilustrísimo Señor, Ilmo. Sr.*

h)   La numeración romana: *MDCCLV (1755)*

Signos de puntuación (I)

La coma (,): indica pausa y se emplea en la enumeración de palabras de la misma categoría: *la oficina era amplia, moderna, luminosa...*

También se emplea para señalar una interrupción e introducir una aclaración *las cartas, según las normas establecidas, han de ser...*

Cuando en un escrito aparecen expresiones que interrumpen el discurso: *sin embargo, es decir, por último*, etc.

El punto y coma (;): indica una pausa más intensa que la coma: *Me presentó al Director Comercial, al Jefe de Personal y a su secretaria; luego nos sentamos en su despacho.*

UNIDAD 2

Diccionario A

Anuncio: conjunto de palabras con que se da a conocer algo.
Buena presencia: aspecto físico agradable.
BUP: Bachillerato Unificado Polivalente. Etapa de Enseñanza Secundaria.
Candidato: persona que se presenta para conseguir un trabajo.
Contabilidad: sistema adoptado para llevar las cuentas de una empresa.
Dotes: cualidades de una persona.
Formación: educación.
FP2: Formación Profesional. Etapa de Enseñanza Profesional.
Oferta de trabajo: propuesta para entrar a trabajar en una empresa.
Remuneración, retribución, salario: cantidad de dinero que se recibe por realizar un trabajo.
Tratamiento de texto: proceso automatizado de textos escritos en papel.

Diccionario B

Darse bien: tener habilidad para hacer algo.
Empresariales: carrera universitaria orientada al sector de los negocios o empresarial.
Informática: conjunto de conocimientos científicos y técnicos que hacen posible el tratamiento automático de la información.
Perfil profesional: características para desempeñar un puesto de trabajo.
Promoción: mejora de las condiciones de trabajo; ascenso.
Reto: desafío; labor que, por su dificultad, exige mayor esfuerzo.

Diccionario C

Aseo personal: higiene.
Autobiografía: vida de una persona escrita por ella misma.
Cualidades: características o manera de ser.
Entrevista: reunión de dos o más personas para tratar algún tema.
Experiencia laboral: enseñanza y técnica que se adquiere en un campo profesional.
Impecablemente: perfectamente, con mucho cuidado.
Jefe: empleado de categoría superior.
Superar: triunfar; aprobar un examen.

Funciones

Expresar requisitos:

Se requiere experiencia.
Es imprescindible hablar alemán.
Es necesario tener conocimientos de informática.

Expresar ofertas:
> *Se ofrece incorporación inmediata.*
> *Empresa nacional necesita / solicita / precisa...*
> *Ofrecemos retribución según valía.*
> *Les ofrezco mis servicios para el puesto de...*

Exponer preparación profesional:
> *Poseo conocimientos de contabilidad.*
> *Dado que creo reunir los requisitos...*
> *Tengo experiencia en torno a dos años en...*

Expresar condiciones económicas:
> *Ofrecemos retribución a convenir.*
> *Se ofrece salario negociable.*
> *Ofrecemos remuneración en torno a...*

Describir a personas físicas y jurídicas:
> *Tengo 25 años / buena presencia.*
> *Importante grupo editorial...*
> *Empresa multinacional líder en...*

Saludar y presentarse:
> *Buenos días. Me llamo...*
> *Soy el Jefe de Personal de...*

Dar consejos:
> *Deberías llegar puntualmente.*

Expresar obligaciones:
> *Hay que enviar una carta manuscrita.*
> *Tendrá que presentarse en estas oficinas.*

Expresar gustos/habilidades:
> *Me gusta trabajar en equipo.*
> *Me gusta viajar.*
> *Se me dan bien los idiomas.*

Pedir y dar información sobre el pasado:
> *¿En qué año terminó sus estudios?*
> *Recuerdo la primera vez que...*

Pronombres interrogativos:

Invariables: **qué +** sustantivo: *¿Qué informe busca usted?*
          cuándo, cómo y **dónde** no admiten sustantivo detrás: *¿Cuándo vas?*
          ¿Cómo escribes?
          ¿Dónde trabajas?
          qué + verbo: *¿Qué desea?*

Variables:
singular	plural
cuál	**cuáles**
quién	**quiénes**

cuánto (masc.) **cuánta** (fem.) **cuántos** (masc.) **cuántas** (fem.)
Cuál + de + sustantivo/pronombre: *¿Cuál de los dos funciona mejor?*
Cuál + verbo: *¿Cuál compraste?*
Cuánto + verbo: *¿Cuánto cuesta?*
Cuánto + sustantivo: *¿Cuántos dictáfonos hay?*

Pronombres personales (formas átonas)

singular	plural	
me	**nos**	(primera persona)
te	**os**	(segunda persona)
le/la/lo	**les/las/los**	(tercera persona)

Verbo Ser

a) expresa identificación: *Soy Rosa Fernández.*
Es el jefe de Luis

b) indica profesión: *Soy secretaria.*

c) señala el parentesco: *Es mi padre.*

d) expresa nacionalidad, religión, política o estilo artístico:
Son españoles, católicos, liberales.
Aquella catedral es románica.

e) posesión: *Era mi ayudante.*

f) tiempo, cantidad, origen, precio: *Son las ocho de la noche.*
Somos cincuenta en total.
Es de Madrid.
¿Cuánto es?

g) materia: *Es de plástico.*

h) impersonalidad: *Es necesario saber idiomas.*

Verbo Estar

a) expresa situación temporal o física: *Estamos a martes.*
Está en la oficina.

b) estado físico o mental: *Estamos bien.*
Estaba loco.

En algunas ocasiones se puede utilizar **ser** o **estar** + adjetivo indistintamente.
Si se utiliza **ser,** es para indicar cualidad objetiva o condición normal: *la carta es perfecta.*
Si se utiliza **estar,** se indica una impresión personal, subjetiva: *la carta está perfecta.*

El pretérito imperfecto de indicativo expresa:

a) acción habitual en el pasado: *siempre estudiaba por la noche.*

b) sentido reiterativo o de repetición: *iba a menudo al cine.*

c) valor de cortesía: *quería pedirte algo.*

d) opinión: *me merecía un ascenso.*

e) sentido incoativo: *ya salía de la oficina cuando llegó el jefe.*

El pretérito indefinido de indicativo expresa:

a) una acción concluida en el pasado: *empecé a trabajar el mes pasado.*

b) una acción interrumpida en cierto momento del pasado: *estudió aquí hasta que se trasladó a Valencia*

El pretérito perfecto de indicativo expresa:

a) una acción acabada, realizada en un pasado asociado de alguna manera al presente: *Este mes he llegado tarde dos veces.*

Se + verbo

a) Pasiva refleja, con el verbo en tercera persona del singular (si el sujeto es singular) o del plural (en caso contrario): *Se precisa secretaria.*
Se buscan vendedores.

b) construcción impersonal

    1. **Se + verbo** transitivo o intransitivo en tercera persona del singular + adverbio: *se trabaja mucho.*

    2. **Se + verbo** transitivo en tercera persona del singular + objeto directo: *se alquila oficina.*

La hora

¿*Qué hora es?*
$\begin{cases}
\text{\textit{Es la una} (13,00)} \\
\text{\textit{Son las doce} (12,00)} \\
\text{\textit{Son las doce y cuarto} (12,15)} \\
\text{\textit{Son las doce y media} (12,30)} \\
\text{\textit{Es la una menos cuarto} (12,45)} \\
\text{\textit{Son las doce y diez} (12,10)} \\
\text{\textit{Son las doce y veinte} (12,20)} \\
\text{\textit{Es la una menos veinte} (12,40)} \\
\text{\textit{Es la una menos cinco} (12,55)}
\end{cases}$

También se puede decir:
    08,45: *las ocho cuarenta y cinco.*
    08,00: *las ocho en punto.*
    08,15: *las ocho quince.*
    08,30: *las ocho treinta.*

Numerales cardinales

1.	uno	11.	once	21.	veintiuno	100.	cien/ciento
2.	dos	12.	doce	22.	veintidós	101.	ciento uno
3.	tres	13.	trece	30.	treinta	102.	ciento dos
4.	cuatro	14.	catorce	31.	treinta y uno	200.	doscientos
5.	cinco	15.	quince	40.	cuarenta	210.	doscientos diez
6.	seis	16.	dieciséis	50.	cincuenta	300.	trescientos
7.	siete	17.	diecisiete	60.	sesenta	400.	cuatrocientos
8.	ocho	18.	dieciocho	70.	setenta	500.	quinientos
9.	nueve	19.	diecinueve	80.	ochenta	600.	seiscientos
10.	diez	20.	veinte	90.	noventa	700.	setecientos
						800.	ochocientos
						900.	novecientos
						1.000.	mil
						2.000.	dos mil

1.000.000.	un millón
2.250.000.	dos millones doscientas cincuenta mil (dos millones y cuarto)
5.500.000.	cinco millones quinientos mil (cinco millones y medio)

Unidad monetaria

La unidad monetaria en España es la peseta, dividida en céntimos. Los billetes de banco (papel moneda) tienen un valor de 1.000, 5.000 y 10.000 pesetas. Las monedas tienen un valor de 1, 5,10, 25, 50, 100, 200 y 500 pesetas.

Signos de puntuación (II)

El punto (.): se pone después de oraciones con sentido completo (punto y seguido) o de párrafos (punto y aparte): *Le escribí el mes pasado.*
Se debe poner también detrás de las iniciales de las siglas y de las abreviaturas: Vd.

Los dos puntos (:): se emplean para hacer citas textuales: *Ella comentó:*
También, detrás del saludo de las cartas: *Muy señor mío:*

Los puntos suspensivos (...): indican que el discurso queda sin terminar.

UNIDAD 3

Diccionario A

Acción nominal: título, a nombre de una persona, que acredita y representa el valor de cada una de las partes en que se considera dividido el capital de una compañía.

Ajeno: que no pertenece a algo.

Auditoría: despacho o empresa dedicada a revisar las cuentas.

Capital social: caudal de una empresa.

Detectar fallos: observar que existen errores o deficiencias.

Forma jurídica: ajustada a derecho.

I+D: investigación y desarrollo.

Ministerio de Economía: departamento del gobierno del Estado que tiene a su cargo las cuestiones económicas.

Organigrama: esquema de la organización de una entidad o empresa.

Sociedad Anónima: la que se forma por acciones, con responsabilidad circunscrita al capital que éstas representan.

Socio: persona que aporta capital a una empresa.

Diccionario B

Archivo: local o espacio en el que se guardan los documentos.

BBV: Banco Bilbao-Vizcaya.

Compañero de trabajo: persona que trabaja en la misma empresa.

Correo: conjunto de correspondencia que se recibe o se envía.

Manejar: usar o dirigir.

Ordenador: computador electrónico.

Potente: que tiene gran capacidad.

Retrato-robot: conjunto de características o representación que permite el reconocimiento de una persona, un profesional, etc.

Tener el cargo: ser responsable de una tarea.

Agencia inmobiliaria: empresa dedicada a la compra y venta de edificios y locales.

Contrato: pacto oral o escrito entre partes que se obligan a cumplir determinado acuerdo.

Dependencia: habitación o espacio.

Despacho: habitación o conjunto de habitaciones donde se trabaja o estudia.

Equipamiento: conjunto de muebles e instrumentos necesarios en una empresa.

Instalación: conjunto de equipo y servicios de una empresa.

Material de oficina: conjunto de máquinas y objetos necesarios para trabajar.

Medir: calcular las dimensiones.

Ocio: período de descanso sin trabajar.

Oficina de alto nivel: instalaciones de lujo, de gran categoría.

Superficie: extensión en que sólo se considera la longitud y la latitud.

Talón: orden de pago de una cantidad contra una institución bancaria en la cual se mantiene una cuenta corriente.

Zona de esparcimiento: espacio para desarrollar actividades en el tiempo libre.

Saludar formal e informalmente:

> *¡Buenos días! ¡Buenas tardes! ¡Buenas noches!*
> *¿Cómo está usted?*
> *Le saludo muy atentamente.*
> *Aprovecho la ocasión para saludarle muy atentamente.*
> *¡Hola! ¿Qué tal?*
> *¿Cómo estás? Encantada de saludaros.*

Expresar relación laboral:

> *Es la secretaria del Director.*
> *Es un puesto de recepcionista en...*

Describir una organización:

> *Nuestra empresa es un grupo de auditoría.*
> *Es una sociedad anónima formada por...*
> *Sus principales accionistas son...*

Expresar hábitos (presente/pasado):

> *Los fines de semana acostumbro a...*
> *En la otra empresa solíamos...*

Expresar obligaciones y deberes (futuro):

> *Se responsabilizará del archivo.*
> *Deberá llegar temprano.*

Describir instalaciones:

> *El edificio deberá estar dotado de...*
> *Está en el piso segundo, a la derecha.*

Indicar dimensiones y cantidades:
Tiene una superficie de 500 m².
Mide un metro de alto por ochenta de ancho.
Se compró por 90.000.000.

Gramática

Adverbios

Los adverbios carecen de género y número. Generalmente van detrás del verbo, aunque algunos suelen ir delante.

a)   **de tiempo: ayer, hoy, mañana, ahora, antes, después, luego, siempre, nunca, todavía, pronto, tarde, temprano, mientras.**

Frases adverbiales **de tiempo:** *por la mañana, por la tarde, por la noche.*

b)   **de lugar: aquí, ahí, allí, allá, arriba, abajo, delante, detrás, dentro, fuera, cerca, lejos.**

Frases adverbiales **de lugar:** *en el centro, a la derecha, a la izquierda.*

Posesivos

a)   los pronombres y adjetivos tónicos concuerdan en género y número con el objeto poseído:

Singular		Plural	
masculino	*femenino*	*masculino*	*femenino*
mío	**mía**	**míos**	**mías**
tuyo	**tuya**	**tuyos**	**tuyas**
suyo	**suya**	**suyos**	**suyas**
nuestro	**nuestra**	**nuestros**	**nuestras**
vuestro	**vuestra**	**vuestros**	**vuestras**
suyo	**suya**	**suyos**	**suyas**

Ejemplo: *Esta oficina suya* (función adjetiva).
         La nuestra es más moderna (función pronominal).

b)   los adjetivos átonos van delante del sustantivo.

Singular		Plural	
masculino	*femenino*	*masculino*	*femenino*
mi			**mis**
tu			**tus**
su			**sus**
nuestro	**nuestra**	**nuestros**	**nuestras**
vuestro	**vuestra**	**vuestros**	**vuestras**
	su		**sus**

Ejemplo: *Nuestros pedidos tienen fecha anterior.*

Relativo

Cuyo: se utiliza para expresar la posesión y equivale a: *de quien, del que, del cual.*

Concuerda en género y número con el sustantivo al que acompaña:
La carta cuyo encabezamiento corregí.
Tiene un ayudante cuya eficacia es notoria.

El futuro de indicativo expresa:

a) una acción futura en relación al momento en que se habla:
  Mañana contestaremos a la oferta de Tiresa.

b) obligación en futuro, en lugar del imperativo:
  Irás a la imprenta por la tarde.

c) probabilidad, suposición o vacilación:
  No sé qué estará haciendo en este momento.

d) sorpresa, en oraciones interrogativas y exclamativas:
  ¿Se atreverá a repetirlo?
  ¡Tendrá valor!

Perífrasis verbales con infinitivo:

Acabar de + infinitivo: expresa una acción acabada inmediatamente antes del momento en que se desarrolla la acción:
  Acabo de llamarte por teléfono.

Medidas de longitud

   Milímetro (mm): milésima parte del metro.

   Centímetro (cm): centésima parte del metro.

   Decímetro (dm): décima parte del metro.
   Metro (m).

   Decámetro (dm): diez metros.

   Hectómetro (hm): cien metros.

   Kilómetro (km): mil metros.

Medidas de superficie

   Metro cuadrado (m^2).

   Área (a): cien metros cuadrados.

   Hectárea (ha): cien áreas.

Operaciones aritméticas

   Sumar: 30 + 50 = 80 (treinta más cincuenta es igual a ochenta).

   Restar: 30 - 20 = 10 (treinta menos veinte es igual a diez).

   Multiplicar: 30 x 10 = 300 (treinta por diez es igual a trescientos).

   Dividir: 30 : 3 = 10 (treinta entre tres es igual a diez).

UNIDAD 4

a.c.: año en curso.

Al aparato: expresión para contestar a una llamada telefónica.

Comunicar: hablar por teléfono.

Está comunicando: expresión que indica que la línea telefónica está ocupada.

Concertar una cita: fijar la fecha y los detalles de una reunión.

Recado: mensaje oral o escrito.

Reunión: encuentro o entrevista.

Venir bien: ser adecuado, cómodo.

Diccionario B

Almorzar: comer a mediodía.

Contestador automático: aparato conectado al teléfono que permite recibir y gra
bar mensajes en ausencia del abonado.

Factura pendiente: cuenta detallada de las mercancías compradas o vendidas que
están sin pagar o sin cobrar.

Fotocopiadora: máquina que permite reproducir documentos en papel.

Horario de oficina: distribución de las horas de trabajo.

Servicio de limpieza: empresa o personas encargadas de limpiar una oficina.

Señal (acústica): timbre o zumbido para indicar que se puede empezar a hablar.

Diccionario C

Antelación: espacio de tiempo entre una cosa y otra que ocurrirá después.

Anular: cancelar un compromiso; dejar sin validez un contrato.

Asunto pendiente: gestión o tarea que no se ha hecho todavía.

Buscapersonas: pequeño aparato electrónico que se utiliza para localizar a una
persona, avisándola mediante una señal luminosa y un pitido de que hay
un mensaje para ésta.

Carpeta: cubierta que sirve para proteger y guardar documentos.

Dar el pésame: expresar el sentimiento por la muerte de alguien.

Descifrar: entender algo que está escrito en clave o código.

Fallecimiento: muerte, defunción.

Huelga: suspensión del trabajo por parte de los empleados.

Posponer: retrasar una decisión o una reunión.

Régimen de multipropiedad: sistema de compra por acciones.

Ultimar: terminar, completar.

Funciones

Entender y transmitir mensajes:

Deje su nombre y número de teléfono.
El mensaje es para el señor...
A las cuatro, en la oficina.

Concertar y aceptar citas:

¿Le vendría bien mañana? Sí, perfecto.
¿A qué hora?
Me viene bien.
De acuerdo. Hasta mañana.
¿Cuándo podríamos vernos?

Indicar intenciones y planes:

Voy a ir a Madrid.

Expresar órdenes:

Espere un segundo.
Que llame mañana.

Preguntar y responder sobre posibilidades:

¿Cuándo podríamos vernos?
Por nuestra parte, podemos trasladarnos...

Transmitir lo que ha dicho otro:

> *El mensaje que grabó era para...*
> *El señor Muñoz pidió...*

Futuro hipotético o condicional

Indica una acción futura, un hecho irreal, probable o posible.

a) futuro en el pasado: *me dijo que llamaría.*

b) consejo, sugerencia: *debería tomar nota.*
    ¿Le vendría bien a las diez?

Imperativo

Es el modo con el que se expresan las órdenes, los ruegos, los mandatos, los deseos. Sólo tiene dos formas personales, segunda persona de singular y la de plural (tú, usted, vosotros, ustedes). Las demás formas pertenecen al presente de subjuntivo.
Las prohibiciones requieren también el uso de subjuntivo:

> *Espere un momento.*   *No llame mañana.*

Perífrasis con infinitivo

a) **Ir a + infinitivo:** expresa una acción futura inmediata, con matiz de intencionalidad:
    Voy a redactar el informe (tengo la intención).
    Iba a telefonear más tarde (tenía la intención).

b) **Dejar de + infinitivo:** indica la finalización de una acción que se estaba desarrollando:
    Ha dejado de hablar.

Estilo indirecto

En el estilo indirecto, el hablante transmite lo que alguien dice, ha dicho o dirá. Los cambios de estilo directo a indirecto afectan a los tiempos verbales, a las personas gramaticales y a los adverbios de lugar y tiempo.

a) cuando el hablante transmite un mensaje en presente, los tiempos verbales no sufren variación (excepto el imperativo, que pasa a presente de subjuntivo):

«Me quedo a trabajar»	*Dice que se queda a trabajar.*
«Lee el informe»	*Dice que leas el informe.*

b) cuando el hablante relata algo en pasado, la correspondencia de tiempos es:

Presente de indicativo	Imperfecto de indicativo
Imperfecto de indicativo	Imperfecto de indicativo
Futuro de indicativo	Condicional
Indefinido de indicativo	Pluscuamperfecto de indicativo
Pretérito perfecto de indicativo	Pluscuamperfecto de indicativo
Pluscuamperfecto de indicativo	Pluscuamperfecto de indicativo
Futuro perfecto	Condicional perfecto
Condicional	Condicional
Imperativo	Subjuntivo (imperfecto)

> *«He mecanografiado la carta»*   *Dijo que había mecanografiado la carta.*

Número de teléfono

El número de teléfono se puede decir:

a) por separado, de izquierda a derecha: 734 28 90 (siete, tres, cuatro, dos, ocho, nueve, cero).

b) 47 32 90 (cuarenta y siete, treinta y dos, noventa).

c) si tiene siete cifras 2 28 39 50 (dos, veintiocho, treinta y nueve, cincuenta).

Signos de puntuación (III)

Las comillas («»): se utilizan para encerrar frases o palabras textuales.
El jefe comentó: «Tenemos que terminar este informe hoy.»

El paréntesis (()): se utiliza para aclarar algo en una frase.
También se emplea para desarrollar abreviaturas o siglas, *U.G.T. (Unión General de Trabajadores)* o especificar cifras, fechas, etc.: *2.370 (dos mil trescientos setenta).*

Los signos de interrogación y de admiración (¿? ¡!): van al principio y al final de la frase interrogativa y exclamativa: *¿A qué hora llega el correo? ¡Magnífico!*

UNIDAD 5

Diccionario A

Almuerzo de trabajo: comida a mediodía en el transcurso de una reunión de trabajo.
Apertura: acto con el que se comienzan reuniones oficiales y sociales.
Clausura: acto con el que se terminan las reuniones oficiales y sociales.
Coloquio: conferencia o reunión a la que se asiste para debatir problemas.
Cuota de inscripción: cantidad de dinero que se paga por asistir a un congreso o reunión.
Deletrear: pronunciar por separado las letras de cada palabra.
Documentación: conjunto de documentos que se entrega en relación con el tema de un congreso o reunión.
Folleto: obra impresa que sirve para informar sobre una materia o dar publicidad.
Herramienta: instrumento o medio.
Liderazgo: dirección.
Matrícula: inscripción y cantidad que se paga por asistir a un curso o congreso.
Ponente: persona que presenta un proyecto o da una conferencia.
Traducción simultánea: expresar en otra lengua el discurso de una persona al mismo tiempo que ésta habla.

Diccionario B

Abrir una ficha: tomar los datos sobre una persona o tema.
Billete abierto: documento de transporte aéreo que no lleva reserva.
Bono: documento de servicios turísticos; voucher.
Cargar en cuenta: anotar una cantidad en una cuenta para que sea abonada.
Coche-cama: vagón de ferrocarril cuyos asientos se convierten en camas.
Espectáculo: diversión pública que se celebra al aire libre o en un local cerrado.
Habitación doble/individual: para dos personas y para una sola persona.

Ida y vuelta: viaje en dos direcciones.

Localidades: billetes de entrada para un espectáculo.

Pagar en metálico: pagar con dinero.

Puente aéreo: vuelo Madrid-Barcelona/Barcelona-Madrid, sin necesidad de reserva.

Regreso: viaje de vuelta al punto de partida.

Alquilar: dejar a alguien un piso, coche o local para que lo use a cambio de un precio.

Aparatos audiovisuales: equipo que permite la reproducción de una grabación sonora o en imágenes.

Azafata: empleada de compañía aérea, congresos o reuniones, que atiende al público.

Cestillo: pequeño recipiente de mimbre o de madera para presentar la fruta u otros objetos.

Comprobación: confirmación o verificación de alguna cosa.

Convención: reunión de los empleados de una empresa o de profesionales de un sector.

Encargarse: aceptar una obligación.

Forma de pago: sistema aceptado para cobrar mercancías.

Lío: situación difícil.

Megafonía: instalaciones que favorecen la audición en locales y espacios grandes.

Ortografía: manera correcta de escribir las palabras.

Seguro: contrato por el cual uno de los contratantes se obliga a pagar al otro una cantidad en caso de accidente.

Pedir información:

¿Podría proporcionarme algunos detalles?
Por favor, necesito información sobre...
Quisiera saber...
¿Podría decirme la cuota de inscripción?
Me interesaría saber...
En cuanto a los conferenciantes...

Comprobar la comprensión:

¿Has dicho Rebull? Sí, con b y ll.
¿Me lo deletrea?

Confirmar suposiciones:

¿Las conferencias son en español?
De Madrid, ¿verdad?
Vienen cuatro, ¿no?

Expresar órdenes:

No se retire.
Tome nota, por favor.

Expresar predicciones:

Va a salir perfecto.

Expresar preocupación:

> *Estoy un poco preocupada.*
> *Tengo miedo de...*
> *¿Qué pasa? No me asustes.*

Tranquilizar a alguien:

> *No te preocupes.*
> *Ha salido perfecto.*
> *¡Paciencia! No te pongas nerviosa.*
> *No te asustes. ¡Calma, calma!*

Gramática

Pronombres reflexivos:. Se caracterizan porque siempre se refieren al sujeto de la oración: *Se vuelven los tres en coche.*

*Las formas de los pronombres reflexivos coinciden con las de los pronombres personales átonos (**me, te, nos, os**),* a excepción de las terceras personas, singular y plural, cuyas formas son: **se, si, consigo,** para el singular y el plural.

Se utilizan con verbos transitivos e indican que la acción recae sobre el mismo sujeto que la ejecuta: *No te preocupes.*

> *Se ha quitado el sombrero.*

Fórmulas para confirmar suposiciones:

> *¿no? ¿verdad?*
> *¿a que sí? ¿a que no?*
> *Este procedimiento es más rápido, ¿verdad?*
> *Estuvo bien el congreso, ¿no?*

Perífrasis con gerundio

a) **Estar + gerundio:** indica que la acción tiene lugar en el momento que se habla:
Estamos trabajando.
Te estaba llamando.

b) **Ir + gerundio:** indica que la acción está en desarrollo y que se continúa:
¿Te voy diciendo?
Nos vamos preparando.

Derivación

Procedimiento por el cual se forman vocablos, ampliando o alterando la estructura o significación.

Algunos prefijos:
Ante- indica procedencia en el tiempo, lugar o valoración: *antepasado, anteponer.*
De- indica procedencia: *devengar.*
Des- indica acción contraria: *desmentir.*
Inter- significa participación de varios sujetos: *intercomunicación.*
Pre- indica anterioridad en el tiempo, en el lugar o valoración: *prehistoria.*
Re- indica repetición (con verbos) e intensificación (con adjetivos y nombres): *revivir, renombre.*

Ordinales

Indican el lugar o número de orden, y concuerdan en género y número con el sustantivo al que acompañan.

1.º primero		20.º vigésimo	
2.º segundo		21.º vigésimo primero	
3.º tercero		30.º trigésimo	
4.º cuarto		40.º cuadragésimo	
5.º quinto		50.º quincuagésimo	
6.º sexto		60.º sexagésimo	
7.º séptimo		70.º septuagésimo	
8.º octavo		80.º octogésimo	
9.º noveno/nono		90.º nonagésimo	
10.º décimo		100.º centésimo	
11.º undécimo		1.000.º milésimo	
12.º duodécimo			
13.º decimotercero		antepenúltimo	
14.º decimocuarto		penúltimo	
15.º decimoquinto		último	

Primero y tercero pierden, en masculino singular, la -o final cuando van delante del nombre: *Hoy es mi primer día de trabajo.*

Los ordinales se utilizan, en general, hasta el 10º. A partir de ahí suelen sustituirse por los cardinales: *Isabel I* (primera)
Alfonso XIII (trece)

Números romanos

Esta numeración se utiliza para indicar el número de orden en una sucesión: *Papas, monarcas, nobles; acontecimientos* (congresos, festivales, ferias); *siglos, el año de edificación de los monumentos y numeración de los capítulos en los libros:*

Felipe V (quinto)   *Siglo XV* (quince)
Isabel II (segunda)   *MDCCLV* (1755)
Pablo VI (sexto)   *Capítulo IV* (cuarto)

I = 1	X = 10	C = 100
V = 5	L = 50	D = 500
		M = 1.000

Uso de preposiciones

Preposición **a:**

a)   acompaña siempre el complemento indirecto de la oración:
     Enseñe el despacho al inspector.

b)   acompaña al complemento directo de la oración (persona):
     No comprendo a tu jefe.

c)   se usa para expresar la hora: *La cita es a la una.*

d)   indica una situación limítrofe o de contacto: *Nos sentamos a la mesa.*

e) indica distancia: *La oficina está a veinte metros de mi casa.*

f) precede al infinitivo, en contracción con el artículo el (al), para indicar que una acción se desarrolla al mismo tiempo que otra:
Al abrir la puerta, le vi.

Preposición **por:**

a) expresa causa o motivo de la acción verbal: *Se preocupa por todo.*

b) expresa tiempo: *Por la mañana hay mucho trabajo.*

c) indica lugar impreciso, o de paso: *Tu informe estaba por aquí.*

d) indica cambio o sustitución: *¿Podrías hacerlo por mí?*

e) indica precio o transacción comercial: *Lo alquilamos por 300.000 al mes.*

f) indica medio, instrumento o manera de hacer algo: *Llame por teléfono.*

UNIDAD 6

Diccionario A

Acera: orilla de la calle por donde anda la gente.
Bandeja del correo: pieza de metal o de plástico donde se pone la correspondencia.
Bocacalle: entrada de una calle.
Doblar: pasar al otro lado de la esquina de una calle.
Estanco: establecimiento donde se vende tabaco y sellos.
Gestoría: sociedad mercantil dedicada a cuidar y administrar intereses ajenos.
Glorieta: plaza donde desembocan varias calles.
Imprenta: lugar donde se imprimen libros o documentos.
Indicar: señalar, dar a conocer.
IVA: Impuesto sobre el Valor Añadido.
Localizar: encontrar el sitio exacto.
Reprografía: sistema para obtener copias de un documento.
Torcer: cambiar de dirección.

Diccionario B

Cláusula: cada una de las disposiciones de un contrato.
Fichero: caja o mueble donde se guardan las fichas ordenadamente.
Guía de teléfono: lista impresa por orden alfabético con las direcciones y números de teléfono de los abonados.
Junta de accionistas: conjunto de personas de una entidad reunidas para tratar asuntos de la misma.
Libro de visitas: conjunto de hojas en el que se anotan las personas que visitan una empresa o un organismo.
OPA: Oferta Pública de Adquisición (de acciones).
Representante sindical: persona de un sindicato que actúa en nombre de los trabajadores.

Cinta de vídeo: soporte con imágenes grabadas.

Croquis: dibujo o representación.

Música ambiental: instalación que permite oír música en todas las dependencias de una empresa.

Servicio de mantenimiento: empresa o personas dedicadas a conservar y reparar instalaciones comerciales.

Ofrecer ayuda:

¿Necesita algo más?
Dígame en qué puedo servirle.
No faltaría más. Cuente con ello.

Dar instrucciones:

Localice el hotel, primero...
Cuando salga del hotel, siga...
¿Sabe dónde están nuestras oficinas?

Indicar situación exacta:

¿Podría indicarme dónde está exactamente...?
Nosotros estamos en la glorieta, en el número 10.

Expresar quejas y reclamaciones:

Siento tener que informarle...
Tengo que decir que me siento decepcionado...
Tenemos que poner en su conocimiento...

Dar disculpas:

Lo siento.
Lamentamos las molestias.
Esperamos que el retraso no les haya causado inconvenientes.
Les rogamos disculpen.

Hablar sobre medios de transporte:

Puede venir en autobús.
No vale la pena venir en taxi.

Persuadir y sugerir:

Son sólo dos paradas...
Creo que lo mejor sería...

Adverbios de modo: **bien, mal, peor, mejor, así.** A esta categoría pertenece la mayoría de los adverbios terminados en **-mente,** que se forman añadiendo esta terminación a la forma femenina del adjetivo: *formal, formalmente, perfecta, perfectamente*

Frases adverbiales de modo: **de repente, de nuevo, otra vez,** etc.

Adverbios de tiempo: **ayer, hoy, mañana, ahora, antes, después, luego, siempre, nunca, todavía, pronto, tarde, temprano, mientras.**

Subjuntivo

Es el modo de la irrealidad, y su uso está determinado por distintas circunstancias.

a) El verbo principal niega la constatación de la realidad: *no creo que esté.*

El sujeto del verbo principal influye sobre el sujeto de la oración subordinada: *le aconsejo que venga en autobús.*
El verbo expresa un juicio de valor: *es lógico que estés cansado.*

b) Experimentación o no de lo expresado por parte del sujeto de la oración principal: *cuando venga, me llamará.*

El presente indica una acción presente o con matiz futuro: *no creo que apruebe tus palabras.*

El pretérito imperfecto puede expresar acción presente, pasada o futura: *busqué una oficina que estuviera céntrica.*

En frases de cortesía (con los verbos **querer, poder,** etc.), alterna con el condicional: *quisiera que me entendiera bien.*

Cuando la frase es interrogativa, se usa en condicional: *¿le gustaría acompañarnos?*

El pretérito perfecto indica acción pretérita o futura, pero cuya realidad se presenta como hipotética: *no creo que haya terminado.*

El pretérito pluscuamperfecto expresa una acción terminada en un punto del pasado: *no creía que hubieras fotocopiado los informes.*

Oraciones subordinadas temporales

Indican el tiempo en el que se realiza la acción de la oración principal. Los nexos principales que se utilizan son: **cuando, en cuanto, como, que, mientras, después, antes.**

Siempre que nos refiramos a una acción futura en relación con la oración principal, hay que utilizar el subjuntivo: *cuando salga del hotel, siga recto.*

| Memoria |

Uso de preposiciones

Preposición **para:**

a) Indica finalidad, propósito o destino de la acción verbal: *ese ordenador es para mí.*

b) Indica finalidad, también, seguida de infinitivo: *te ayudaré para terminar antes.*

c) Indica dirección o término de un movimiento: *el pedido ha salido para Pekín.*

Preposiciones **de/desde:**

a) .Indican origen o punto de partida en el espacio y en el tiempo: *De Madrid a Estocolmo tardamos más de cuatro horas.*
Desde Barcelona son sólo tres horas y cuarto.

b) **Desde,** se utiliza si no se especifica el término de la acción verbal: *no lo veo desde ayer.*

Preposición **en:**

a) Expresa la idea de relación estática, de reposo: *la empresa está en Zamora.*

b) Indica precio, instrumento o medio: *viajé en avión. Hablan en francés.*

c) Tiene significación modal: *en serio.*

Para indicar:

Ordenación o enumeración

ante todo	a este respecto
antes de nada	al respecto
antes que nada	en lo que concierne a
por de pronto	en lo concerniente a
primero de todo	en lo que atañe a
en primer lugar (en segundo...)	en lo tocante a
por último	por lo que se refiere a
por fin	por lo que afecta a
finalmente	por una parte/por otra
en cuanto a	de un lado/de otro
respecto de	

Demostración

efectivamente	desde luego
en efecto	lo cierto es que
tanto es así (que)	la verdad es que
por supuesto	sin duda (alguna)
ciertamente	

Restricción o atenuación

sin embargo	a (en) fin de cuentas
con todo	es verdad que... (pero)
aun así	ahora bien
a pesar de ello	en cambio
así y todo	
al fin y al cabo	

Adición

además	es más
asimismo	cabe añadir/observar
por otra parte	otro tanto puede decirse de
al mismo tiempo	por el contrario
algo parecido/semejante ocurre con	en cambio

Consecuencia		*Opinión*	*Resumen*	
así	pues así	a juicio de muchos/de expertos	en suma	en resumen
pues	de ahí que	en opinión general		total
por tanto	por ende	a mi (su/tu) entender/parecer	en resumidas cuentas	
por lo tanto	total que	opino que	en una palabra	
por consiguiente	de modo que	según (...) en fin		
en consecuencia	de suerte que			
consecuentemente				

Diccionario A

Accesorios: utensilios de una oficina y piezas de una máquina.

Adicional: parte o porcentaje que se añade a algo.

Al contado: pago inmediato con dinero.

Al por mayor: en grandes cantidades.

Almacén: casa o edificio donde se guardan mercancías.

Amueblar: poner los muebles en una oficina o casa.

Atril: elemento que sirve para sostener los libros o documentos y leer con comodidad.

Carro: aparato con ruedas en el que se coloca una máquina.

Cheque: documento de pago.

Depender de: estar condicionado a algo.

Descuento: cantidad que se rebaja de un importe o precio de una operación.

Diskette (disquete): disco magnético y flexible utilizado para almacenar información de forma externa.

Existencias: mercancías que no se han vendido y están en el almacén.

Jefe de compras: en una empresa, la persona responsable de las adquisiciones.

Letra de cambio: documento mercantil extendido por una persona (librador) que ordena pagar a otra (librado) una determinada suma de dinero a la orden de un tercero (tenedor), en fecha y lugar especificado.

Mediante: por medio de.

Presupuesto: cálculo anticipado de los gastos o el coste de una obra o servicio.

Proveedor: persona u organización que suministra productos.

Soporte: mueble u objeto que sirve para sujetar algo.

Sucursal: establecimiento dependiente de una sociedad, que actúa bajo las directrices de la sede central.

Transferencia bancaria: pasar una cantidad de dinero de una cuenta a otra.

Diccionario B

Bloc rayado: cuaderno con rayas horizontales.

Cinta adhesiva: tira impregnada con una sustancia que permite pegar papeles.

Grapa: pieza de metal cuyos dos extremos, al doblarse, cosen hojas de papel.

Grapadora: utensilio que sirve para poner grapas en los papeles.

Sello: utensilio con datos o logotipo usado para marcar los documentos de una empresa u organismo.

Tampón: almohadilla impregnada en tinta que se emplea para mojar en ella los sellos de marcar.

Diccionario C

Agente de la Propiedad Industrial: persona que registra marcas y patentes.

Asesor bursátil: persona que aconseja profesionalmente sobre inversiones en Bolsa.

Automatización: aplicación de sistemas automáticos a personas y tareas.

Estropearse: dejar de funcionar.

Honorarios: retribución por un trabajo no manual.

Listín de teléfonos: lista pequeña en la que se anotan los números de teléfono más utilizados.

Marca: nombre, término, símbolo o diseño que permite identificar los productos o servicios.

Mercado de valores: conjunto de personas, entidades públicas y privadas relacionadas con la emisión, contratación y control de los valores negociables en Bolsa.

163

Patente: certificado por el que se reconoce a una persona el derecho a utilizar en exclusiva una invención nueva.

Precio del paso: cantidad que se paga por cada período de tiempo establecido en la comunicación telefónica.

Expresar condiciones comerciales:
> *Quisiéramos saber la forma de pago.*
> *En compras al contado...*
> *Depende de la cantidad/pedido.*

Expresar dimensiones:
> *¿Cuánto mide...?*
> *Dos armarios de 2 x 2,40 x 3.*

Expresar cantidades:
> *Dos archivadores a 2.500 pts./u.*

Establecer el objeto de la llamada:
> *Es en relación con el catálogo...*
> *Expresar intención:*
> *Iba a llamarles hoy.*

Expresar carencia de obligación:
> *No es necesario que venga.*

Expresar condiciones:
> *Si no hay ningún problema de existencias...*
> *Si le fallase el ordenador...*

Adverbios de cantidad: **más, menos, muy, mucho, poco, demasiado, bastante, todo, nada, casi, algo, sólo, tan, tanto.**

Los adverbios **tanto** y **mucho** se acortan **(tan, muy)** delante de un adjetivo o de un adverbio: *Era un asunto tan importante...*
> *Eso está muy bien.*

Pronombres relativos

Estos pronombres tienen un carácter distinto de los demás, ya que pueden sustituir a un sustantivo o a una acción (antecedente), así como servir de enlace entre una oración principal y otra subordinada.

Concuerdan en género y número con el antecedente, siempre que sea posible.

Hay que distinguir entre relativos adjetivos y relativos adverbiales:

Adjetivos					*Adverbios*		
quien	cual	cuyo/a	cuanto/a		donde	como	cuando
que	quienes	cuales	cuyos/as	cuantos/as			

Subjuntivo

Se usa el subjuntivo cuando el verbo principal, en tercera persona singular, expresa un juicio de valor: *No es necesario que nos visite.*

Expresiones que llevan subjuntivos:

Es necesario que	*Es fundamental que*
Es lógico que	*Es curioso que*
Es importante que	*Es natural que*

Oraciones subordinadas condicionales

Son aquellas en las que la realización de lo señalado en la oración principal está condicionado por el cumplimiento de lo expresado en la subordinada. Generalmente, este tipo de oraciones se introduce con el nexo *si*.

a)   Oración subordinada   Oración principal
Presente de indicativo
Pretérito perfecto de indicativo   Presente de indicativo
                                          Futuro
                                          Imperativo

Si vienes, nos vemos

Si ha venido, { *nos veremos*
                  escúchale

Pretérito imperfecto de indicativo   Pretérito imperfecto de indicativo
Si escribía mucho, se cansaba

Pretérito pluscuamperfecto de indicativo.   Pretérito imperfecto de indicat.
                                                   Condicional

Si había leído el informe, { *lo comentaba*
                                lo comentaría

b)   Si la acción que se señala es presente o futuro (posible o imposible), se utiliza el imperfecto de subjuntivo. Si la acción es pasado, se utiliza el pluscuamperfecto.

Oración subordinada   Oración principal

Pretérito imperfecto de subjuntivo   Condicional
Si vinieras temprano, no te regañarían

Pretérito pluscuamperfecto de sub-   Pretérito pluscuamperfecto subjuntivo
juntivo   Condicional simple
                                            Condicional perfecto

Si hubieras llegado temprano, hubieras entendido la conferencia
                                entenderías la conferencia
                                habrías entendido la conferencia

---

Memoria

CIF: *Código de Identificación Fiscal*
DNI: *Documento Nacional de Identidad*
NIF: *Número de Identificación Fiscal*
Pts/u.: *pesetas por unidad*

Colectivos relacionados con los números

Sin especificar:	Grupos de años
1, unidad	2, bienio
2, par/pareja	3, trienio
3, trío	4, cuatrienio

10, decena	5, quinquenio, lustro
12, docena	6, sexenio
15, quincena	10, década
20, veintena	100, siglo
100, centena/centenar/ciento	1.000, milenio
1.000, mil/miles/millar	

Porcentaje: Número de cualquier clase de cosas que se toma, o se considera, de cada cien de ellas: *el porcentaje de mujeres trabajadoras.*

Tanto por ciento: Interés producido por cien unidades monetarias en la unidad de tiempo que se especifique: *al dos por ciento (2%) mensual.*
al once por ciento (11%) anual.

UNIDAD 8

Diáfano: permite ver la luz; claridad.
Entorno: ambiente que rodea.
Feria: exhibición comercial que sirve para dar a conocer productos o servicios.
Promocional: documento o medio que sirve para dar a conocer una feria, reunión, producto, etc.
Recinto ferial: espacio preparado para la celebración de ferias.

Diccionario A

Abonar: pagar.
Canon: cantidad que se paga por algún servicio.
Conformado (cheque bancario): certificado por el banco.
Cumplimentar: hacer algún trámite; rellenar documentos.
Expositor: persona o empresa que participa con sus productos en una feria.
Ficha de inscripción: hoja de papel en la que se hacen constar datos.
Maqueta: reproducción exacta de un edificio.
Metálico (en): pagar con dinero.
Montaje: instalación.
Pabellón: pequeño edificio que constituye una dependencia de otro.
Solicitud: escrito en el que se pide algo.
Tarifa: tabla de precios que se aplica a una mercancía o servicio.

Diccionario B

Albarán: documento que acompaña a la mercancía en el momento de la entrega, especificando calidad y cantidad.
Bulto: paquete.
Compañía de Seguros: sociedad mercantil dedicada a cubrir los riesgos de robo, accidente, incendio, etc.
Cuadernos ATA: documentos aduaneros internacionales que permiten importar mercancías temporalmente, sin ningún otro trámite y sin depositar fianza en la aduana.
Daño: alteración que produce perjuicio.
Divisa: dinero en moneda extranjera.
Embalaje: envoltura de papel, cartón, etc., que protege las mercancías.
Factura: documento comercial en el que se detallan las características y condiciones de venta de las mercancías.

Diccionario C

Factura proforma: es la empleada para justificar operaciones posteriores a la fecha indicada.

Recibo: documento que se entrega al cobrar una mercancía.

Rotular: poner el nombre o una inscripción.

S.E.ú.O.: salvo error u omisión.

Sextuplicado: seis veces, seis copias.

Trincar: atar algo con fuerza.

Funciones

Formular opiniones/hipótesis:

Creo que... Opino que...
Me parece que... En mi opinión...
Yo diría que...

Expresar certeza, duda, posibilidad, probabilidad:

Seguramente... Seguro que... Todo indica que... Es indudable... No hay duda de que... Estoy seguro de que...
Quizá... Tal vez... No sé, no sé...
Supongo que... Es poco probable que...

Expresar condiciones contractuales:

Podrán solicitar su participación...
Los expositores deberán abonar...
El canon de ocupación incluye...
En caso de no abonar...

Dar instrucciones:

Es indispensable...
Lo primero que hay que hacer...
Se debe/se recomienda...

Dar consejo:

Te aconsejo/Le aconsejamos...
Le recomiendo que...
Lo mejor es que...

Expresar ruegos y peticiones:

Rogamos lleven un albarán.
Les rogamos nos devuelvan debidamente...

Gramática

Adverbios de afirmación: **sí, verdaderamente, también.**
Adverbios de negación: **no, nunca, jamás, tampoco.**
Adverbios de duda: **quizá, tal vez, acaso, a lo mejor...**

Futuro de indicativo: expresa una acción que va a suceder: *la exposición se inaugurará el lunes.*
Puede tener valor de mandato futuro y de obligación: *los expositores deberán aceptar las condiciones.*

Subjuntivo

a) Se emplea en oraciones dubitativas. Indica probabilidad detrás de los adverbios **quizás, tal vez, acaso, seguramente, posiblemente:**
Quizá asistamos este año a la Feria del Libro.
Tal vez ya sepas que he cambiado de empresa.

b) Para expresar la condicionalidad, la conjunción **si** no admite nunca el presente de subjuntivo, como ocurre con las locuciones **siempre que, con tal de que, a no ser que, caso que:**

> *Te acompaño con tal de que volvamos pronto.*
> *El paquete llegará a tiempo siempre que lo envíe antes del lunes.*
> *Iré a París a menos que me lo impidan.*

c) **Como,** seguido del presente de subjuntivo, puede tener valor condicional:

> *Como no llame mi jefe, me voy* (si no llama)

Derivación

Prefijos:

Anti- indica oposición: *antieconómico.*
Contra- indica oposición: *contraprestación.*
Infra- indica inferioridad: *infravalorar.*
Ultra- indica intensificación: *ultramoderno.*

Cultismos

En la formación de palabras intervienen raíces griegas o latinas, sobre todo en terminología científica.

Arqueo- (viejo): *arqueología.*
Neo- (nuevo): *neoclasicismo.*
Auto- (por sí mismo): *autonomía.*
Cripto- (oculto): *criptografía.*
Equi- (igual): *equidistante.*
Para- (semejante): *parapsicología.*

Cultismos para indicar número

1, mono	7, hepta	100, hecta
2, bis/bi	8, octo	1.000, kilo
3, ter/tri	9, enea	10.000, miria
4, tetra	10, deca	
5, penta	11, undeca	
6, sex/hexa	12, dodeca	

Partitivos

Indican la parte de un todo:

1/2, un medio	1/8, un octavo
1/3, un tercio	1/9, un noveno
1/4, un cuarto	1/10, un décimo
1/5, un quinto	1/11, un onceavo
1/6, un sexto	1/12, un doceavo
1/7, un séptimo	1/13, un treceavo

Multiplicativos

Indican idea de colectividad en una cantidad determinada:

	Adjetivos	Sustantivos
	2, doble	doble/duplo
	3, triple	triple
	4, cuádruple	cuádruplo
	5, quíntuple	quíntuplo

Medidas de peso

Miligramo (mg) milésima parte de un gramo.
Centigramo (cg) centésima parte de un gramo.
Decigramo (dg) décima parte de un gramo.
Gramo (g, gr)
Decagramo (dg), diez gramos.
Hectogramo (hg), cien gramos.
Kilogramo (kg), mil gramos.
Quintal métrico (q), cien kilos.
Tonelada métrica (t), mil kilos.

UNIDAD 9

Diccionario A

Acta: redacción oficial de lo tratado y acordado en una reunión.
Aprobación: aceptación.
Ausente: persona que no está en una reunión.
Borrador: escrito previo que deberá ser recogido.
Nombramiento: designar a alguien para un puesto de trabajo.
Notificación: comunicación.

Diccionario B

Acción: título-valor que representa parte del capital de una sociedad.
Accionista: propietario de acciones.
Ampliación: aumento del capital social de una empresa.
Capital: caudal de dinero.
Cotización: precio alcanzado por un valor; cambio.
ECU: Unidad de Cuenta Europea.
Inversión: empleo del dinero en algo.
Obligacionista: propietario de obligaciones (valor mobiliario).
Portavoz: persona autorizada para informar sobre una reunión o empresa.
Reservas: parte de los beneficios netos de una empresa que se retiene.

Diccionario C

Cartel: escrito o dibujo para anunciar algo.
Comercialización: conjunto de operaciones para hacer llegar los productos desde el productor al consumidor.
Cota: cuota o parte.
Diagrama: representación mediante un dibujo, gráfico, etc.
Inversa (a la): al contrario.

Informar sobre hechos pasados:

> *Se hace público que en la reunión se acordó...*
> *Según informó un portavoz...*
> *El índice de ventas ha superado...*

Expresar acuerdos:

> *La Junta General acordó por unanimidad...*
> *En la reunión se acordó reducir el capital...*

Felicitar:

> *Mi más sincera felicitación por su nombramiento...*

Expresar sentimientos:

> *Me alegro enormemente...*

Expresar contraste:

> *Una reunión informal requerirá... sin embargo, un acto formal...*

Dar razones/causas:

> *El contenido variará, ya que refleja...*
> *... gracias a los esfuerzos conjuntos...*

Adjetivos gentilicios: designan a los habitantes de una ciudad, región o país:

> **-eno=** chileno, esloveno, sarraceno.
> **-ense=** almeriense, lucense, tarraconense.
> **-és=** inglés, japonés, portugués.
> **-aco=** austriaco, eslovaco, polaco.
> **-án=** alemán, catalán.
> **-ano=** italiano, asturiano.
> **-ino=** argentino, neoyorquino.
> **-io=** canario, sirio.
> **-ita=** moscovita.
> **-ol=** español, mongol.
> **-ota=** cairota, chipriota.
> **-eño=** madrileño, extremeño.
> **-í=** ceutí, marroquí.
> **=ú=** hindú, zulú.

Estilo directo: es el que utiliza una persona para repetir textualmente las palabras del hablante al que menciona:

> *La secretaria dijo: «No puedo seguir trabajando.»*

Oraciones adversativas

Las oraciones coordinadas adversativas contraponen una oración afirmativa y otra negativa, utilizando las conjunciones: **mas, pero, empero, sino, aunque, no obstante, antes bien, sin embargo.**

Oraciones subordinadas concesivas

En las que se hace referencia a la existencia de una dificultad u obstáculo para poder hacer algo. La oración principal indica que se llevará a cabo la acción a pesar de la dificultad. Las dos oraciones se unen por medio de: **aunque, si bien, a pesar de, por más que.**

Memoria

Temperatura

Para expresar la temperatura se dice:

30 ° C (treinta grados centígrados)
-2° C (dos grados bajo cero)
0° C (cero grados)

Clave de la solución de los ejercicios

4.b

Madrid, 12 de octubre de 1991

Estimados señores:

En respuesta a su solicitud de autorización para reproducir en su libro el artículo «Quesos de España», publicado en el n.º 57 de nuestra revista, y como ya les comunicábamos por teléfono, lamentablemente sólo podemos concederles permiso para reproducir el texto citando su procedencia, puesto que no disponemos de las fotos.

Reciban un cordial saludo

fdo. Federico Paternina
Director

Sección B

1.a
1/c; 2/b; 3/b; 4/b; 5/a.

1.c
1/de presentación; 2/acuse de recibo; 3/circular; 4/relaciones con la banca; 5/relaciones con los servicios públicos; 6/circular.

3.a
1/ha comunicado, retirará; 2/están, retirar; 3/está, podremos; 4/tienes; 5/tengo; 6/gana, tiene.

3.b
1/de, en, de, depara, de; 2/de, en; 3/en, sin, de, en; 4/a, de, para, con, de; 5/de, de; 6/en, de, de.

Sección C

1.a
1/v; 2/v; 3/f; 4/f; 5/v; 6/v.

3.a
los saludas; los télex; los telefax; las cartas; los telegramas; las líneas de atención; los logotipos; los anexos; los señores; las posdatas.

3.b
pre-si-den-te; sig-ni-fi-ca-ción; con-fe-ren-cian-te; a-gra-de-ci-mien-to; me-mo-rán-dum; in-dus-trial; i-nau-gu-ra-ción; ge-ne-ral-men-te.

4.a
s/n; vto.; c/.; dto.; S.A.; Rte.; P.N.; Sr.; Cta. cte. o c/c; Tel. o Teléf.

4.b
1/A; 2/príncipe heredero; 3/A; 4/B; 5/C.

UNIDAD 1

Sección A

1.a
1/b; 2/a; 3/a; 4/b; 5/a.
1.d
c.c = con copia; c.c.c. = con copia confidencial.
3.a
1/con; 2/por; 3/a; 4/de, para; 5/para; 6/para, de; 7/con, sin; 8/para.

3.c
7 de abril de 1991; 15 de agosto de 1989; 22 de enero de 1990; 5 de marzo de 1992; 19 de diciembre de 1995; 2 de octubre de 1993.

3.e
1/despedida; 2/despedida; 3/saludo; 4/despedida; 5/despedida; 6/saludo.

4.a
Sociedad Anónima; Sociedad Limitada; Compañía; Señor don; Señora doña; Señorita; número; Doctor; calle; avenida; teléfono; firmado; señores; número; derecha; izquierdo; su referencia; nuestra referencia; nuestro escrito; su escrito.

Sección A

1.c
n.º 1; referencia/Secretaria de Dirección; similar; saber inglés; sueldo de dos millones y medio de pesetas brutas anuales.

n.º 2: uso del ordenador; tener en cuenta; el sueldo dependerá de la formación y de la experiencia.

n.º 3: carta escrita a mano; sueldo sin descuentos.

n.º 4: compañía muy importante; sueldo aproximado.

n.º 5: de acuerdo con la formación y experiencia; inscripción del trabajador para que disfrute de los beneficios y prestaciones del seguro de enfermedad, invalidez y jubilación.

3.c
1/g; 2/a; 3/-; 4/h; 5/i, j; 6/e; 7/b, c; 8/d; 9/f.

3.d
oferta, ofrecimiento, ofrecer; necesidad, necesitar, necesitado, necesario, necesariamente; requisito, requerir, requirente, requerimiento; precisión, precisar; garantía, garantizar, garantizador, garante; ruego, rogar, rogador, rogante; busca, búsqueda, buscar.

4.a
selecciona/se requiere/BUP/Secretariado/25 años/taquigrafía/ordenador/organización administrativa/inglés/se ofrece/retribución/currículum vitae/fotografía.

Sección B

1.a
1/A; 3/B.

1.b
1/f; 2/f; 3/v; 4/f; 5/f; 6/v: 7/f.

3.a
1/es; 2/está; 3/es; 4/está; 5/estaba; 6/es; 7/es; 8/son.

3.b
1/se lo compro; 2/me examinan; 3/se la dieron; 4/nos gusta; 5/tengo que terminarla; 6/se la he dado; 7/lo comprende; 8/se los entregaron.

Sección C

4.a
le; me; lo; le; yo; le; te; me.

4.c

Muy Sr. mío:

Acuso recibo de su carta de fecha 24 de octubre de 1991.
Le agradezco su oferta económica y le propongo una reunión para tratar algunos detalles de tipo técnico. ¿Sería posible vernos el martes 29 a las 4,30?

Atentamente.

Sección A

1.c
1/d; 2/f; 3/a; 4/g; 5/b; 6/e; 7/c; 8/h.

3.a
1/de, de; 2/en, de, en; 3/por, de; 4/con, de, de; 5/a, por, de, de, sobre; 6/de, a.

3.c
1/es; 2/está; 3/está; 4/es; 5/fue; 6/estuvo.

3.d
1/i; 2/d; 3/h; 4/l; 5/a; 6/f; 7/j; 8/k; 9/3; 10/g; 11/b; 12/c.

Sección B

1.a
1/b; 2/c; 3/c; 4/b; 5/a; 6/c.

2.c
1/formal, saludo; 2/informal, saludo; 3/formal, despedida; 4/formal, saludo; 5/informal, despedida; 6/formal, saludo; 7/informal, saludo; 8/formal, saludo; 9/formal, saludo; 10/formal, saludo.

3.a
La cotización de la acción BBV durante 1990 estará sometida a los avatares que la entrada en el mercado continuo, el comportamiento de la economía española y la crisis del Golfo impondrán a los mercados bursátiles. Será un año de descensos en los índices generales, y la acción BBV no podrá sustraerse a esa tendencia (...). El beneficio neto por acción ascenderá a 439 pesetas, con un crecimiento del 10,3 % sobre el año 1989, y el dividendo por acción se situará en 158 pesetas, un 7,2 % superior al percibido en el año anterior.

3.d

1/el ofrecimiento, la oferta; 2/la formación, la forma; 3/el desembolso; 4/la lectura; 5/la recepción, el recibimiento; 6/el ascenso, la ascensión; 7/la realización; 8/el asesoramiento; 9/el hábito; 10/la improvisación; 11/el trabajo; 12/la convocatoria.

4.b

uso, urbe, error, pedido, junta, diálogo, superior, virtual, permiso, certeza.

Sección C

1.a

1/b; 2/a; 3/c; 4/b; 5/b; 6/a.

1.c

1/f; 2/v; 3/f; 4/v; 5/v; 6/f; 7/f.

3.d

1/e; 2/c; 3/h; 4/d; 5/f; 6/b; 7/a; 8/g.

3.f

noventa millones; cuarenta y siete millones; cuarenta y dos millones quinientas mil; quinientas mil; cuarenta y cinco millones, setecientas cuarenta y cinco mil; nueve millones, doscientas cincuenta mil; ochenta y seis millones, trescientas veinticinco; ciento cuarenta millones, novecientas noventa y cinco mil, trescientas veinticinco.

4.a

papelera, telefax, abrecartas, grapas, archivador, calendario, agenda, fotocopiadora, rotulador, ordenador, sillón.

UNIDAD 4

Sección A

1.a

1/Europea de Servicios; 2/COMERSA; 3/Sr. Bertram; 4/Sr. Puerto; 5/la secretaria del Sr. Puerto; 6/concertar una cita de trabajo; 7/martes a las once; en la calle de Almagro, n.º 38, segundo piso.

2.b

3/5/7/1/9/11/2/10/12/13/8/6.

3.a

1/a, b, c, d, g; 2/e; 3/f; 4/a, b, c, d, g; 5/a, b, c, d, g; 6/a, c; 7/a, c.

3.d

1/c; 2/d; 3/f; 4/b; 5/d; 6/g; 7/a.

Sección B

1.a

1/no; 2/no; 3/no; 4/sí; 5/sí; 6/no; 7/sí; 8/no.

Sección C

1.b

1/13 y 14 de junio de 1991; 2/negocios; 3/oferta de apartamentos en régimen de multipropiedad; 4/tres días; 5/fallecimiento de un familiar; 6/17 al 23 de julio.

UNIDAD 5

Sección A

2.a

1/v; 2/f; 3/f; 4/v; 5/f.

3.b

los programas; la presentación; los análisis; los liderazgos; los valores; las series de puntos; el café; los/las ponentes; los alemanes/las alemanas; los ingleses/las inglesas; los fax.

3.c

1/mi hija; 2/la jefa, enferma; 3/la madre, amiga; 4/la secretaria, directora; 5/la señora García, la nueva gerente, alta y morena; 6/mi compañera, la mujer, trabajadora.

3.d

1/salir; 2/anterior, antecesor; 3/callar, silenciar; 4/callar; 5/paro, descanso; 6/desconocer, ignorar; 7/entrar; 8/todo; 9/venir; 10/incorrecto, mal educado; 11/entregar, dar, pagar; 12/fin, término, final.

4.a

4/2/7/5/8/6/10/3/1.

Sección B

1.a

1/e; 2/a; 3/c; 4/a; 5/c.

3.c

1/de, a, de; 2/por, por; 3/de, para, al, de; 4/en, para; 5/a, de, por; 6/a, de.

3.d

1/d; 2/f; 3/j; 4/i; 5/b; 6/c; 7/e; 8/a; 9/h; 10/g.

Sección C

3.a

¿no? ¿verdad?

4.a

especial/jamón ibérico/bonito de la casa/pimientos del piquillo/fritos variados/mousse de alcachofas y langostinos con salsa americana/ternasco asado con patatas a la panadera/gran tarta/helados variados y café aromático/caldos selectos.

4.b

1/e, 8; 2/d, 7; 3/g, 2; 5/h, 1; 6/i, 3; 7/b, 5; 8/c, 6; 9/f, 9.

UNIDAD 6

Sección A

1.a

1/para confirmar una entrevista; 2/a las cuatro, en la glorieta de Ruiz Jiménez, número 10; 3/porque está muy cerca y se puede ir en autobús; 4/en autobús; 5/taxi, autobús; 6/el plano es la representación gráfica de un terreno, ciudad o población; el mapa es la representación de la tierra o superficie de ella.

1.c

3/plano; 2/hotel; 1/hotel, izquierda; 4/recto, calle; 5/derecha; 6/plaza.

3.c

vaya/pregunta/pídale/acérquese/recoja/tome/baja/ haya terminado/acérquese/reclame/esté/telefoneéme.

4.b

girar; coger, subir, continuar, bajar, seguir, ir, doblar, torcer, andar.

Sección C

3.b

1/a; 1/c; 2/d; 3/a; 4/e; 5/b.

UNIDAD 7

Sección A

1.a

1/c; 2/a; 3/a; 4/c; 5/c.

3.a

Acuso recibo/lista actualizada/semana/tomen nota/pedido/pedido/antes/al contado/factura/duplicado.

4.a

1/Seamer; 2/al Director de Marketing o al Jefe de Compras; 3/producto y servicio; 4/la importancia

de la imagen en la empresa y la profesionalidad; 5/en otoño, ya que sugiere encargar los regalos para entregar en diciembre; 6/calendarios y agendas.

Sección B

3.b

1/cuaderno, bloc; 2/un lápiz, una pluma, un bolígrafo; 3/grapas, clips; 4/sobres; 5/la papelera; 6/líquido corrector; 7/goma de borrar; 8/el cenicero.

3.d

sobre de ventanilla/papel carbón/bloc de notas/líquido corrector/cinta adhesiva/bolígrafo/goma de borrar/caja de clips/lápices/tampón.

3.e

grapadora/carpetilla/bolígrafo/ordenador/telefax/dictáfono/télex/máquina de escribir.

4.a

pisapapeles, abrecartas, florero, cenicero, paragüero, radio, calendario, planta, alfombra, tijeras.

Sección C

1.a

Abogado/Agentes de Aduanas/Aire acondicionado/Asesores bursátiles/Asesoría Informática/Banco de Santander/Bomberos/Caja de Madrid/Canal de Isabel II/Cruz Roja/Euroinvest/Fotografías Aéreas/Fotomecánica/Hidroeléctrica/Iberia/Imprenta/Micronet/Policía/Propiedad Industrial/Renfe/Telefónica/Traductores Jurados.

1.c

1/fotógrafo; 2/asesor informática; 3/asesor de la propiedad industrial; 4/mensajero, empresa de correo urgente; 5/empresa de fotomecánica, imprenta; 6/experto en informática; 7/oficina de patentes y marcas, registro de la propiedad industrial; 8/asesor bursátil.

3.a

1/médico, enfermero; 2/técnico; 3/mecanógrafo, secretaria; 4/director de ventas; jefe de ventas, representante, delegado comercial; 5/asesor de inversiones, consultor o asesor bursátil, intermediario financiero; 6/abogado, asesor legal.

3.d

1/f; 2/g; 3/a; 4/e; 5/b; 6/h; 7/d; 8/c.

4.b

factura n.º, n.º de la factura/núm. abono/titular del

abono/Documento Nacional de Identidad/Código de Identificación Fiscal/dirección/Código Postal/población/julio 1989 a agosto 1989/Caja de Ahorros Provincial de Zamora/sin número/Boletín Oficial del Estado.

Sección A

1.a
2)I/5; II/6; III/2; IV/3; V/1; VI/4; VII/7.

1.b
1/duración, finalidad y programa; 2/señalar mes y duración de cada feria; 3/para orientar a los profesionales; 4/turismo y ocio; 5/Ficop y Veteco; 7/del 16 al 24 de marzo; 8/A, sólo pueden asistir profesionales del sector y B, puede asistir el público también; C, puede asistir todo el mundo.

3.c
Juan veintitrés/siglo dieciocho/Isabel segunda/Juan cuarto/año mil ciento cincuenta y seis/Pedro tercero/capítulo once/año mil ciento once/Juan Carlos primero/siglo veintiuno.

4.c
Euro/Europa o europeo; Archi/viejo, superioridad; Penta/cinco; Didac/didáctica, enseñanza; Galac/lácteo; Gloso/lengua; Dulci/dulce; Mega/grande; Pharma/productos farmacéuticos.

Sección B

3.c
quince por ciento de Impuesto Valor Añadido/medio día/trescientos kilos/cuenta corriente/ochenta céntimos Vatio al día/media página en blanco y negro/ciento quince milímetros por doscientos diez milímetros/Impuesto Valor Añadido al doce por ciento/veinte mil pesetas el metro cuadrado.

3.d
1/16 cm^3; 52 kg 300 grs.; cm^2; 20 %; 60.000 1/2 página; m^2.

Sección C

1.a
1/v; 2/f; 3/f; 4/v; 5/v.

3.a
1/debe, día; 2/bultos, bien; 3/nombre, paquetes; 4/debe, entregada; 5/deben, protección.

3.d
1/Transeuropa Servicios Feriales; 2/Barcelona; 3/Código de Identificación Fiscal; 4/treinta de noviembre de 1990; 5/gastos de transporte, de mercancías y aranceles; 6/salvo error u omisión; 7/al contado.

3.e

Srta. Carmen Linares
Transeuropa Servicios Feriales, S. A.

Madrid, 12 de septiembre de 1990

Señorita Carmen:
De acuerdo con tus indicaciones, adjunto te envío la relación de material con destino a la feria de Francfort.
Como ya te indiqué, se trata de exportación definitiva, como hicimos el año anterior. Te lo recuerdo para que hagas los trámites pertinentes.

Saludos.
Fermín Navarro
EDICIONES

4.a
1/recibo; 2/factura; 3/albarán.

4.b
1/dos; 2/tres; 3/cuatro; 4/cinco; 5/seis.

Sección A

2.a
1/accionistas de SUTEL, S. A.; 2/al administrador; 3/16 de agosto; 4/examen y aprobación del informe de gestión del año 1991, cambio de domicilio de la sociedad y ruegos y preguntas; 5/calle de Lugo n.º 8.

3.d
1/d; 2/e; 3/b; 4/c; 5/a; 6/g; 7/h; 8/f.

4.a
1/abstención; 2/aclamación; 3/a mano alzada; 4/papeletas; 5/unanimidad; 6/votación; 7/voto de calidad.

Sección B

1.a
1/a; 2/c; 3/c; 4/c; 5/a.

1.b

1/reunión a la que asiste el Consejo de Administración y las personas que poseen acciones de una empresa; 2/capital aportado por los accionistas de una sociedad, que figura en la escritura de constitución; 3/cargo del Consejo de Administración de una empresa; 4/dependientes de la casa central o matriz; 5/relación de la dirección, organización y administración de la empresa; 6/período fiscal o de vigencia de presupuestos.

1.c

1/ingresos de la compañía; 2/servicio a asegurados, indemnizaciones; 3/el 72 % del beneficio neto, que pasa a incrementar los recursos propios; 4/el porcentaje del beneficio neto.

3.a

1/a; 2/a; 3/b; 4/c; 5/a; 6/a.

3.c

1/de, de, para; 2/de, de; 3/de, de, de; 4/de, con, de; 5/en, de, del.

Sección C

1.a

1/f; 2/v; 3/f; 4/f; 5/v.

3.a

1/Fernández; 2/Rodríguez, Fernández; 3/junio; 4/junio; 5/Castellanos, Fernández.

3.d

Los gráficos A y B son de barras; el gráfico C es de líneas; el gráfico D es de tarta o circular. El de líneas sirve para mostrar tendencias en una escala de tiempo; el de barras, para comparar totales en diferentes escalas de tiempo, y el circular o de tarta para mostrar proporciones.

3.e

camiones/se vendieron/49.514 camiones/ 13,7 % /57.376/semestre/1990/importadores/vehículos/ autocares/meses.

4.b

M=máxima; m=mínima; A=ambiental; D=despejado; C=cubierto; Ll=lluvia; P=parcialmente cubierto.

Abreviaturas

a/c. ....A cuenta
Admón. ....Administración
a/f. .... A favor
apdo. o aptdo. ....
Apartado (Correos)
Art. o Art.º ....Artículo
Avda. ....Avenida

Bco. o B. ....Banco
B.O.E.   Boletín Oficial del Estado

C.V. o H.P. ....Caballos de vapor
c/. ....Calle
c.º. ....Cambio
cap. o cap.º ....Capítulo
cgo. o c. ....Cargo
C. ....Carta
c/o. ....Carta orden
cg. ....Centigramo
cl. ....Centilitro
cm. ....Centímetro
Cert. ....Certificado
Cdad. ....Ciudad
Cód. ....Código
Com. ....Comisión
Cía., Comp.ª, c.ª ....Compañía
cje. ....Corretaje
Cta. ....Cuenta
Cta. cte. o c/c. ....Cuenta corriente

ch. ....Cheque

D. ....Don
D.ª ....Doña
Dg. ....Decagramo
Dl. ....Decalitro
Dm. ....Decámetro
dm. ....Decímetro
dpto. ....Departamento
dcha. ....Derecha
dto. ....Descuento
d/. ....Día(s)
d/f. ....Días fecha
d/v. ....Días vista
D.m. ....Dios mediante
Dtor. ....Director
Dr. ....Doctor
doc. ....Documento
dupdo., dupl. ....Duplicado

Ed. ....Edición, editor, editorial
efvo. ....Efectivo
E/. ef. ....Efecto(s)
E. pag. ....Efecto a pagar
E/cob. ....Efecto a cobrar
E/neg. ....Efecto a negociar
ej. ....Ejemplo
E.P.M. ....En propia mano
entlo. ....Entresuelo
e/. ....Envío
E. ....Este (punto cardinal)
etc. ....Etcétera
Excmo. ....Excelentísimo
ext. ....Exterior

fáb. ....Fábrica
fra. ....Factura
fcha. ....Fecha
f/f. ....Fecha factura
f.º, fol. ....Folio
fr. ....Franco

gtos. ....Gastos
gral. ....General
g/. ....Giro
G.P., g/p. ....Giro postal
G.T., g/t. ....Giro telegráfico
g., grs. ....Gramo(s)

Ha. ....Hectárea
Hg. ....Hectogramo
Hl. ....Hectolitro
Hm. ....Hectómetro
Hnos. ....Hermanos

ib., ibíd. ....Ibídem
íd. ....Ídem
Ilmo. ....Ilustrísimo
Impte. ....Importe
Impto. ....Impuesto
I.V.A. ....Impuesto sobre el
Valor Añadido

Juzg.º ....Juzgado

Kg. ....Kilogramo
Km. ....Kilómetro
Km.^{2} ....Kilómetro cuadrado
Km./h., km./h.......Kilómetro por
hora

L/. ....Letra de cambio
£ ....Libra esterlina
Ldo. ....Licenciado
Ltd., Ltda. ....Limitada
L. ....Liras
Máx...................................Máximo
m/. ....Meses
m/v. ....Meses vista
m., mts. ....Metro(s)
m.^{2} ....Metro cuadrado
m.^{3} ....Metro cúbico
m/c. ....Mi cuenta
m/fra. ....Mi factura
m/f. ....Mi favor
mg....................................Miligramo
ml. ....Mililitro
mm. ....Milímetro
mín. ....Mínimo
m. ....Minuto
Mod. ....Modelo

Nom...................................Nominal
N. ....Norte
NE. ....Nordeste
NO....................................Noroeste
n/. ....Nuestro/a
n/cta. ....Nuestra cuenta
n/fra. ....Nuestra factura
n/L. ....Nuestra letra
n/o ....Nuestra orden
n/r. ....Nuestra remesa
n/cgo. ....Nuestro cargo
n/ch. ....Nuestro cheque
n/g. ....Nuestro giro
n/p. ....Nuestro pagaré
Núm., n.º ....Número

o/. ....Orden
O.M. ....Orden ministerial

p/. ....Pagaré
pág...Página
p.º ....Paseo
pta., ptas., pts.......................Pesetas
P.N. ....Peso neto
Pl. ....Plaza
P. admón. ....Por administración
P.A., p.a.......................Por ausencia
P.A., p.a.....................Por autorización
% ....Por ciento
p/cta. ....Por cuenta
p. ej. ....Por ejemplo
p.o., P.O., p/o. ....Por orden
p.p. ....Porte pagado
P.D., P.S.... Posdata o Post scriptum
P.V.P....Precio de venta al público
prov..................................Provincia
ppdo.......................Próximo pasado

Ref., Rf.ª.........................Referencia
Rte. ....Remitente
r.p.m......Revoluciones por minuto

sdo. ....Saldo
s.b.f...........................Salvo buen fin
s.e.u.o. ....Salvo error u omisión
s/. ....Según
s.s. ....Seguro servidor
Sr. ....Señor
Sra.......................................Señora
Sres., Srs............................Señores
Srta. ....Señorita
ss., sigs. ....Siguientes
S.G. ....Sin gastos
s/n....................................Sin número
Sdad....................................Sociedad
S.A. ....Sociedad Anónima
S.C...........Sociedad en Comandita

S.R.C. Sociedad Regular Colectiva
S.L. ....Sociedad Limitada
s/cgo. ....Su cargo
s/c. ....Su casa
S.E. ....Su Excelencia
s/fra. ....Su factura
s/fv. ....Su favor
s/g..Su giro
s/L......................................Su letra
S.M. ....Su Majestad
s/o....................................Su orden
s/p....................................Su pagaré
s/r....................................Su remesa
s.s.s....................Su seguro servidor
SE....................................Sudeste
SO....................................Sudoeste

t/. ....Talón
T. ....Tara
Tel., Teléf.........................Teléfono
Tít..Título
t. ....Tomo
Tm. ....Tonelada métrica

Ud., Uds..............................Ustedes
últ...Último

V. ....Valor
V/cta.......................Valor en cuenta
V/r..........................Valor recibido
v..Véase
vto. ....Vencimiento
v.g., v.gr. ....Verbigracia
V.º B.º..........................Visto bueno
Vda. ....Viuda
vol. ....Volumen
V.I....................Vuestra Ilustrísima
V.E. ....Vuestra Excelencia

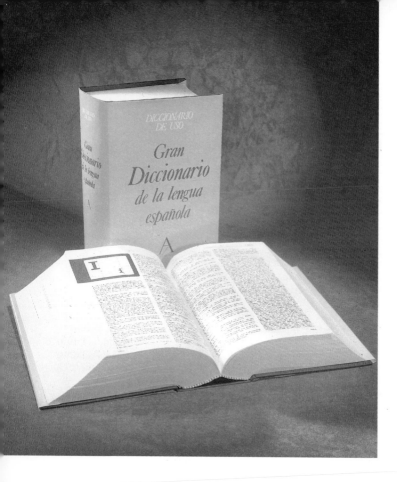

Glosario

Español	Inglés	Francés	Alemán

A

Español	Inglés	Francés	Alemán
Acción	share, stock	action	Aktie
Actividad económica	financial activity	activité financière	Wirtschaftsätigkeit
Activos reales	real assets	actifs rèels	Realwerte; reale Güter
Activos financieros	liquid assets	avoirs liquides	liquide Aktiva
Aduana	customs	douane	Zoll
Agente de Cambio y Bolsa	stockbroker, jobber, dealer	agent de change	Börsenmakler, Kurmakler
Agentes económicos	economic agents, transactors	agents économiques	Wirtschaftssubjekte
Ahorrar	to save	épargner	sparen
Albarán	invoice, delivery note	bulletin de livraison	Lieferschein, Warenrechnung
Alcista	bull	haussier	Huassier
Alta (darse de)	to enrol	s'inscrire	anmelden
Amortización	amortization, redemption	amortissement	Abschreibung, Tilgung
Ampliación (capital)	increase	augmentation	(Kapital-) erhöhung
Arancel	customs tariff	tarif douanier	Zoll, Zolltarif
Arbitrio	tax	taxes municipales	Steuer
Archivo	file	dossier archives	Akte
Asalariado	wage earner	salarié	Lohnempfänger
Asiento	book entry	écriture comptable	Bucheintragung, Buchung
Auditoría	audit	contrôle	Revision
Aval	guarantee	aval, garantie	Aval

B

Español	Inglés	Francés	Alemán
Baja (darse de)	to resign, to drop out	cesser d'appartenir, être en congé de	sich beurlauben lassen sich anmelden
Bajista	bear	baissier	Baissier
Balance	balance	bilan, balance	Bilanz
Balanza comercial	trade balance, visible balance	balance comerciale	Handelsbilanz

Español	Inglés	Francés	Alemán
Balanza de pagos	balance of payments	balance des paiements	Zahlungsbilanz
Banco	bank	banque	Bank
Banco de bancos	bankers' bank	banque des banques	Bank der Banken
Base de datos relacional	relational data base	base des données relationnelle	relationale Datenbasis
Base imponible	taxable amount	base d'imposition	Besteuerungsgrundlage
Base jurídica	legal basis	base juridique	Rechtsgrundlage
Base monetaria	monetary base	base monétaire	monetäre Basis, Geldbasis
Beneficiario	payee	bénéficiaire	Empfänger; Begünstigter
Beneficio	profit, benefit	profit, bénéfice	Gewinn, Profit
Beneficio fiscal	tax concession	avantage fiscal	Steuervorteil
Bienes	goods	biens	Güter, Vermögen
Bienes de consumo duraderos	consumer durables	biens de consommation durables	langlebige Konsumgüter
Bienes de inversión	capital goods, investment goods	biens d'investissement	Investitionsgüter
Bilateral	bilateral	bilatéral	bilateral
Bolsa de Valores	Stock Exchange	Bourse des Valeurs	Wertpapierbörse
Bono	bond, voucher	bon	Gutschein, Bon
Bono público,	Government bond,	obligation d'Etat	staatliche Obligation,
Bono del Estado	Government stock		Staats-Schuldverschreibung
Bucle	loop construct	élément de boucle	Schleifenkonstrukt

C

Español	Inglés	Francés	Alemán
Campaña de comercialización	marketing year	campagne de commercialisation	Vermarktungfeldzug
Campaña de importación	importing season	campagne d'importation	Einführungswerbung
Capital de riesgo	risk capital	Capital de risque	Risikokapital
Capital social	share capital	capital-actions,	Aktienkapital,
		capital social	Grundkapital
Carga fiscal	tax burden	charge fiscale	Steuerbelastung
Carretera	road	route	Landstrasse
Cartera de valores	portfolio	portefeuille	Anlageportefeuille
Centro de comercialización	marketing centre	centre de commercialisation	Handelsplatz
Cesta de divisas	basket of currencies	panier de monnaies	Währungskorb
Cierre (Bolsa)	closing	clôture	Schluss
Cláusula	clause	clause	Klausel
Coaseguro	mutual insurance	assurance mutuelle	Mitversicherung
Cobertura	cover	couverture	Deckung
Cobro	cashing	encaissement	Einkassierung
Código de barras	code, flag	code barré	Strichcode
Comercio exterior	external trade	commerce extérieur	Aussenhandel
Comercio internacional	international trade	commerce international	zwischenstaatlicher Handel
Comisión	commission	commission	Provision, Auftrag
Competencia	competition	concurrence	Wettbewerb
Compra (precio de)	buying-in price	prix d'achat	Kaufpreis
Consorcio	consortium	consortium	Konsortium
Contraprestación	benefit	contreprestation	Gegenleistung
Contravalor	equivalent	contre-valeur	Gegenwert
Consumidor	consumer	consommateur	Verbraucher, Konsument
Consumo	consumption	consommation	Konsum, Verbrauch
Contabilidad	accountancy, book-keeping	comptabilité	Buchführung
Contado (al)	cash	comptant	Bar gegen
Contenedor	container	container	Container
Contingentación	import quota	contingent d'importation	Kontingierung
Contrato de fianza	contract of guarantee	contrat de cautionnement	Bürgschaftsvertrag
Contrato de transporte	contract of carriage	contrat de transport	Frachtvertrag
Contribución	contribution	contribution	Beitrag, Steuer
Contribuyente	tax payer	contribuable	Steuerzahler
Convenio	settlement	accord, convention	Vereinbarung
Cooperativa	cooperative society	coopérative	Genossenschaft
Corredor de seguros	insurance broker	courtier d'assurance	Versicherungsmakler
Corretaje	brokerage	courtage, commission	Maklergebühr
Corro	round enclosure	parquet	Gruppe
Coste	cost	coût, frais	Kosten
Cotización	quotation	cours, cotation	Kurs

Español	Inglés	Francés	Alemán
Coyuntura	situation, bussiness cycle	conjoncture	Konjunktur
Crecimiento económico	economic growth	croissance économique	Wirtschaftswachstum
Crédito	credit, loan	crédit	Kredit
Crédito documentario	documentary credit	crédit documentaire	Dokumentenkredit
Crisis	crisis, depression	crise	Krise
Cuenta	account	compte	Rechnung
Cuenta bancaria	bank account	compte bancaire	Bankkonto
Cuenta corriente	current account	compte courant	Kontokorrent, Konto
Cuenta a plazo	fixed term	à terme	Depositenkonto
Cuentas de compensación	balancing accounts	comptes de compensation	Ausgleichskonten
Cuota	quota	quote, part	Quote, Anteil
Cupón	coupon	coupon	Kupon, Schein

CH

Cheque	cheque	chèque	Scheck

D

Debe	debit, liabilities	débit	Debet, Soll
Declarante (el)	the declarant	le déclarant	der Zollbeteiligte
Déficit	deficit	déficit	Defizit
Demanda	demand	demande	Nachfrage
Demanda de pago	claim for payment	demande de paiement	Zahlungsaufforderung
Denominación comercial	trade description/name	désignation commerciale	handelsübliche Bezeichnung
Denominación de origen	denomination of origin	appellation d'origine	Herkunftskennzeichnung
Depositante	depositor	entrepositaire	Einlagerer; Hinterleger
Depositario	warehouse keeper	entreposeur	Lagerhalter; Verwahrer
Depresión	depression	dépression, crise	Tiefstand, Depression
Derecho antidumping	anti-dumping duty	droit antidumping	Antidumpingzoll
Derechos arancelarios	customs duty	droits de douanes	Zoll, Zölle
Derechohabiente	the entitled payee	l'ayant droit	der Empfangsberechtigte
Descuento	deduction beforehand	précompte	Vorwegabzug
Desempleo	unemployment	chômage	Arbeitslosigkeit
Desgravación	tax remission, relief	dégrévement	Steuerbefreiung
Detallista	retalier	détaillant	Kleinhändler
Deuda	debt	dette	Schuld
Deudor	debtor	débiteur	Abgabenschuldner
Devaluación	devaluation	dévaluation	Abwertung
Diario	day book, journal	journal	Tagebuch
Dinero	money, currency	argent	Geld
Dinero metálico	cash	espéces	Bargeld
Diseño	design	dessin	Zeichnung
Distribución	distribution	distribution	Vertrieb, Aufteilung
Dividendo	dividend	dividende	Dividende
Divisa	foreign exchange	devise	Devisen, Fremdwährung
Dotación	allocation	dotation	Zuweisung

E

Economato	cooperative retail society, consumer's cooperative	économat	betriebseigenes Geschäft Genossenschaftsladen
Efecto público	effects, securities	effet public	Staatspapier
Embalaje	packing	emballages	Umschliessungen
Embargo	seizure	saisie	Beschlagnahme
Embarque	shipment	embarquement	Einschiffung
Emisión	issue	émission	Emission, Ausgabe
Emisión de valores	underwriting of new issues	émission des titres	Effentenemission
Empleo total	occupied population	emploi total	Erwerbstätige
Empresa	firm, company	entreprise	Unternehmen
Entero	point	point	Punkt

Español	Inglés	Francés	Alemán
Entrega a cuenta	payment by instalment	versement d'acompte	Abschlagszahlung
Error de software	software error	erreur logiciel	Softwarefehler
Especular	to speculate	spéculer	spekulieren
Estadística	statistics	statistique	Statistik
Estanflación	stagflation	stagflation	Stagflation
Estatuto	statute	statut	Gesetz, Statut
Eurobancos	Euro-banks	eurobanques	Eurobanken
Eurobono, euroobligación	Euro-bond	euro-obligation	Euroschuldverschreibung
Eurocapitales	Euro-funds	eurocapitaux	Eurogelder
Eurocréditos	Euro-credits	eurocrédits	Euro-Kredite
Eurodivisas	Euro-currencies	eurodevises, euromonnaies	Euro-Währungen
Evasión	evasion	évasion	(Steuer) flucht
Excedente	surplus	excédent	uberschuss
Existencias	stock	stocks	Vorrat

F

Español	Inglés	Francés	Alemán
Factura	invoice, bill	facture	Faktura, Rechnung
Fase de la producción	production stage	stade de la production	Erzeugerstufe
Fecha de llegada	date of arrival	date d'arrivée	Ankunftsdatum
Feria	fair	foire	Messe
Fiador (ser)	to act as guarantor	se porter caution	als Zollbürge auftreten
Fiduciario	fiduciary	fiduciaire	treuhänderisch
Filial	subsidiary, branch	filiale	Tochtergesellschaft
Fiabilidad del software	software reliability	fiabilité du logiciel	Softwarezuverlässigkeit
Fiscal	fiscal	fiscal	Steuer-, Fiskal-
Flete	freight	fret	Fracht
Fomento	promotion	promotion	Förderung
Fondo	fund	fonds	Fonds
Franquicia	exemption	franchise	Freibetrag
Fraude	fraud	fraude	Betrung; arglistige Täuschung

G

Español	Inglés	Francés	Alemán
Ganancia	profit	gain	Gewinn
Garantía	guarantee, warranty	garantie	Garantie
Gastos	expenditure	dépense, frais	Ausgaben, Kosten
Gestión de un software	software management	gestion du logiciel	Software-Management
Giro postal	postal order	mandat postal	Postanweisung, Postüberweisung
Granelado	bulksale, sale by bulk	en vrac	in grosser Menge
Gravar	to burden, to tax	grever	auferlegen, belasten

H

Español	Inglés	Francés	Alemán
Haber	credit, assets	avoir	Haben
Herramienta software	software tool	outil logiciel	Softwarewerkzeug
Hiperinflación	hyperinflation	hyperinflation	Hyperinflation
Hipoteca	mortgage	hypothèque	Hypothek
Horas de apertura	hours of business	heures d'ouverture	Amtsstundem

I

Español	Inglés	Francés	Alemán
Identificación (marca de)	identification marks	marques d'identification	Nämlichkeitszeichen
Implantación	introduction	implantation	Einführung
Importación de bienes	importation of goods	importation d'un bien	Einfuhr eines Gegenstands
Imposición (en cuenta)	deposit	dépôt	Einlage
Impreso	printed form	formulaire	Vordruck
Impuesto	tax, levy	impôt	Steuer
Impugnado (documento)	disputed document	document contesté	beanstandetes Dokument
Incapacidad	disability	incapacité, inhabilité	Unfähgkeit

Español	Inglés	Francés	Alemán
Indemnización	indemnity	indemnité	Entschädigung
Indicadores	indicators	indicateurs	Indikatoren
Inflación	inflation	inflation	Inflation
Informe	report	rapport	Berichte
Infraestructura	infrastructure	infrastructure	Infrastruktur
Ingeniería de software	software engineering	génie logiciel	Softwaretechnik
Ingresos	income, revenue	revenu	Einkommen
Inicializar	to initialize	initialiser	initilisieren
Insolvencia	insolvency	faillite, déconfiture	Zahlungsunfähigkeit
Instancia	application form	instance	Eingabe, Bittschrift; antrag
Interés	interest	intérêt	Nutzen, Interesse, Zinsen
Interfacer	to interface	interfacer	kommunizieren
Intermediario	inventory, stock taking	inventaire	Inventur
Internacional (comercio)	international trade	commerce international	zwischenstaatlicher
Interventor	financial controller	contrôleur financier	Finanzkontrolleur
Inversión	investment	investissement, placement	Investition
Inversor	investor	investisseur	Angeler, Investor-Gabler

L

Español	Inglés	Francés	Alemán
Letra de cambio	bill of exchange	lettre de change	Tratte, Wechsel
Liberalización	liberalization	libéralisation	Liberalisierung
Librado	drawee	tiré	(Wechsel-) bezogener, Wechselnehmer
Librador	drawer	tireur	Aussteller
Libre de impuesto (precio)	price exclusive of tax, free-tax	prix hors taxe	Preis ohne Steuer
Librecambio	Free trade	Libre échange	Freihandel
Libreta de ahorro	passbook, bankbook	livret	Bankbuch, Sparbuch
Licencia	licence	licence	lizenz, Erlaubnis
Liquidez	liquidity	liquidité	Liquidität
Líquido	liquid, net	liquid, net	Flüssig, netto
Locomotora	engine	locomotive	Lokomotive
Lucro	profit, gain	profit	Gewinn, Profit

M

Español	Inglés	Francés	Alemán
Marca	trade mark, brand	marque	Marke
Marco (disposición)	outline provision	disposition cadre	Rahmenvorschrift
Margen bruto de beneficios	framework/gross profit margin	marge bénéficiaire brute	Bruttogewinnspanne
Marina mercante	merchant marine	marine marchande	Handelsmarine
Masa monetaria	money stock, money supply	masse monétaire	Geldvolumen, Geldmenge
Materia prima	raw material	matière première	Rohstoff
Mayorista	wholesaler	grossiste	Grosshändler
Mensual (aumento)	monthly increase	majoration mensuelle	monatlicher Zuschlag
Mercado secundario	secondary market	marché secondaire	untergeordneter Markt
Mercado único	single market	marché unique	gemeinsamer Markt
Mercancía	goods, merchandise	marchandise	Ware, (Handels-) gut
Mercantil	commercial, mercantile	mercantile	Handels-
Metálico (depósito en)	cash deposit	dépôt d'espèces	Barsicherheit
Minorista	retailer	détaillant	Kleinhändler
Moda	fashion	mode	Mode
Modo de transporte	mode of transport	mode de transport	Beförderungsart
Monopolio	monopoly	monopole	Monopol
Móvil (parte)	variable component	élément mobile	beweglicher Teilbetrag
Movilizar fondos	to mobilize funds	mobiliser des fonds	Mittel mobilisieren
Multilateral	multilateral	multilatéral	mehrseitiges
Multinacional	multinational	multinational	multinational

N

Español	Inglés	Francés	Alemán
Navegación	navigation	navigation	Schiffahrt
Navío	ship	navire	Schiff

Español	Inglés	Francés	Alemán
Necesidad	need	besoin, nécessité	Bedarf, Nachfrage
Negociación	negotiation	négotiation	Verhandlung
Negocio	business	affaire	Geshföt
Nomenclatura	nomenclature	nomenclature	Verzeichnis

O

Español	Inglés	Francés	Alemán
Obligación	debenture, bond	obligation	Obligation
Obligacionista	bond holder	obligataire	Obligationär
Oferta	offert, supply	offre	Angebot
Oficio	communiqué, official note	communication	amtliche Zuschrift
Operación (bursátil)	transaction	opération	Börsengeschäft
Operación ocasional	occasional transaction	opération occasionnelle	Gelegenheitsumsatz
Orden de pago	payment order	ordre de paiement	Auszahlugsanordnung
Ordinarios (ingresos)	current revenue	recettes courantes	laufende Einnahmen

P

Español	Inglés	Francés	Alemán
Pabellón	flag, banner	pavillon, drapeau	Flagge
Pagaré	promisory note I.O.U.	billet à ordre, reconnaissance de dette	Schuldschein
Pago	payment	paiement, versement	Zahlung, Bezahlung
Paridad	parity	parité	Parität, Gleichheit
Paro	unemployment	chômage	Arbeitslosigkeit
Participación	sharing	participation	Beteiligung
Partida doble	double entry	partie double	doppelte Buchführung
Partida simple	single entry	partie simple	einfache Buchführung
Pasivo	liabilities	passif	Passiva
Patente	patent	brevet d'invention	Patent
Patrimonio	patrimony, estate	patrimoine	Vermögen, Nachlass
Patrón-oro	gold standard	étalon-or	Goldwährung
País de procedencia	country of consignment	Pays d'origine	Herfunftsland
Pedido	order	commande	Bestellung, Auftrag
Período de referencia	base period	période de référence	Vergleichsperiode
Pérdida	loss	perte	Verlust
Permiso de importación	import permit	permis d'importation	Einfuhrbewilligung
Peso bruto	gross weight	poids brut	Rohgewicht
Peso neto	net weight	poids net	Eigengewicht oder Gewicht
Plan contable	accounting plan	plan comptable	Buchungsplan
Plazo de pago	time limit for payment	délai de paiement	Zahlungsfrist
Plusvalía	betterment	appréciation	Planungsgewinn
Poder adquisitivo	purchasing power	pouvoir d'achat	Kaufkrat
Póliza	policy	police	Police
Porte debido	carriage forward	en port dû	unfreies Porto
Porte pagado	carriage paid freight prepaid	port payé	franko (Porto)
Postal	postal	postal	Post-
Precio	price	prix	Preis
Prenda	pledge	gage	Pfand
Presión fiscal	tax burden	pression fiscal	Steuerdruck
Prestación	benefit	prstation	Leistung
Préstamo	loan	prêt	Darlehen
Presupuesto	budget	budget, devis	Haushaltsplan, Voranschlag
Previsión	forecasting	prévision	Voraussagen
Prima (seguros)	premium	prime	Prämie
Producción	production	production	Erzeugung, Produktion
Productividad	productivity	productivité	Produktivität
Productor	producer	producteur	Hersteller, Arbeiter
Productos agrícolas	agricultural products	produits agricoles	landwirtschaftliche Erzeugnisse
Productos manufacturados	manufactured goods	produits manufacturés	Industrierzeugnisse
Propietario	owner, landlord	propiétaire	Eigentümer
Prosperidad	prosperity	prosperité	Prosperität

Español	Inglés	Francés	Alemán
Proteccionismo	protectionism	protectionnisme	Protektionismus
Protesto	protest	protêt	Protest
Proveedor	supplier	fournisseur	Lieferer
Publicidad	publicity	publicité	Werbund

Q

Quiebra	bankruptcy	faillite	Konkurs

R

Razón social	trade name	raison sociale	Firmenname
Reaseguro	reinsurance	réassurance	Rückversicherung
Recibo	receipt	quittance, acquit	Quittung
Recompra	repurchase	rachat	Rückkauf
Red	network	réseau	Netz
Redescuento	rediscount	réescompte	Rediskont
Reembolso	refund	remboursement	Rückerstattung
Regatear	to haggle, bargain	marchander	feilschen
Rendimiento	yield, output	bénéfice, rendement	Ertrag
Renta	revenue, income	revenu	Einkommen, Rente
Renta Nacional	National Income	Revenue National	Nationaleinkommen, Volkseinkommen
Rentabilidad	yields, profitability	rentabilité	Rentabilität
Rentable	profitable	rentable	rentabel
Repercutir	to affect	répercuter	auswirken
Reservas en oro	gold reserves	réserves d'or	Goldreserven
Reservas monetarias	monetary reserves	réserves monétaires	Währungsreserven
Responsabilidad	responsability	responsabilité	Verantwortlic hkeit
Revaluación	revaluation	réévaluation	Aufwertung
Reventa (precio de)	reselling price	prix de revente	Wiederverkaufspreis
Riesgo	risk	risque	Risiko

S

Saldo	balance	balance, solde	Saldo
Saldo de créditos y deudas	credit, debit balance	solde créditeur, débiteur	Debetsaldo, Sollsaldo
Seguros	insurance	assurance	Versicherung
Seguros de vida	life insurance	assurance sur la vie	Lebensversicherung
Servicios	services	services	Dienstleistungen
Siniestro	disaster	sinistre, catastrophe	Schadensfall
Sinusoidal	sinusoidal	sinusoïdal	sinusoidal
Sistema bancario	banking system	système bancaire	Bankwesen, Banksystem
Sociedad Anónima (S.A.)	limited liability company	société anonyme (SA)	Aktiengesellschaft (AG)
Sociedad colectiva	partnership company	société en nom collectif	offene Handelsgesellschaft (OHG)
Sociedad comanditaria	limited partnership	société en commandité	Kommanditgesellschaft (KG)
Sociedad limitada	private limited company	société à responsabilité limitée	Gesellschaft mit beschränkter Haftung (GmbH)
Sociedad mercantil	trading partnership	société mercantile	Handelsgesellschaft
Socio	partner, member	associé, membre	Teilhaber, Partner
Sondeo	random check	sondage	Stichprobe
Stock regulador	buffer stock	stock régulateur	Augleichsvorrat
Suministrador (país)	supplying country	pays fournisseur	Lieferland
Suscripción	subscription	souscription	Zeichnung
Suscriptor	subscriber	souscripteur	Zeichner
Suspensión de pagos	suspension of payments	cessation des paiements	Einstellung der Zahlungen

T

Tacógrafo	tacograph	tachographe	Tachograph
Talón	chèque, stub	chèque	Scheck

Español	Inglés	Francés	Alemán
Talón cruzado	crossed	barré	gekreutzer
Talón nominativo	bearing a person's name	nominatif	Namensscheck
Talón a la orden	to the order of	à ordre	Orderscheck
Talón al portador	bearer	au porter	Inhaberscheck, überbringerscheck
Tanto por ciento	rate per cent	pourcentage	Prozentsatz
Tarifa	rate, tariff	tarif	Tarif
Tarjeta de crédito	credit card	carte de credit	Kreditkarte
Tesorería	treasury	trésorerie	Schatzamt
Tipo de descuento	discount rate	taux d'escompte	Diskontsatz
Tipo de interés	rate of interest	taux d'intérêt	Zinsfuss
Título	security, bond title	titre	Titel, Wertpapier, Effekte
Tomador	borrower	bénéficiaire	Wechselnehmer, Darlehensnehmer
Tonelaje	registered tonnage	tonnage	Tonnengehalt, Tonnage
Tope	upper limit	plafond	Höchstsatz
Transacciones financieras	financial transactions	transactions financières	Kapitaltransaktionen
Transferencia	bank transfer	virement bancaire	Banküberweisung
Transferir (fondos a)	funds to be transferred	fonds à transférer	zu übertragende Mittel
Transitorio (período)	transitional period	période de transition	übergangszeit
Transportista	carrier	transporteur	Frachtführer
Tratado	treaty	traité	Abkommen
Tributo	tax	impôt	Steuer
Trueque	barter	échange, troc	Tausch

U

Español	Inglés	Francés	Alemán
Único, mercado	single market	marché unique	gemeinsamer Markt
Utilidad	profit, utility	utilité, revenu	Nutzen, Gewinn

V

Español	Inglés	Francés	Alemán
Validación	validation	validation	Gültigkeitsrklär ung
Valor añadido	value added	valeur ajoutée	Mehrwert
Valor comercial	commercial value	valeur commerciale	Handelswert
Valor efectivo	securities, effective value	valeur effective	Effektivewert
Valor nominal	face value, nominal value	valeur nominale	Nennwert
Vencimiento	maturity	échéance	Fälligkeit
Venta (precio de)	selling price	prix de vente	Verkaufspreis
Vía	rail, railway	voie	Weg, Bahngleis
Vías de comunicación	means of transport	voie de communication	Verkehrsweg

Z

Español	Inglés	Francés	Alemán
Zona franca	free zone	zone franche	Freizone
Zona de libre cambio	free-trade area	zone de libre-échange	Freihandelszone

Índice

8. Congresos, ferias y exposiciones

9. Actos e informes de la empresa

Sección de consulta

Clave de la solución de los ejercicios

CURSOS ESPECIALIZADOS «SGEL»

EL ESPAÑOL DE LOS NEGOCIOS
CURSO DE ESPAÑOL COMERCIAL
CORRESPONDENCIA COMERCIAL EN ESPAÑOL

EL ESPAÑOL POR PROFESIONES

SERVICIOS TURÍSTICOS
SERVICIOS DE SALUD
SERVICIOS FINANCIEROS: BANCA Y BOLSA
COMERCIO EXTERIOR
SECRETARIADO

EL ESPAÑOL POR ÁREAS

EL LENGUAJE ADMINISTRATIVO Y COMERCIAL
EL LENGUAJE DEL TURISMO Y DE LAS
RELACIONES PÚBLICAS